仁华学校奥林匹克数学系列丛书

仁华学校（原华罗庚学校）

奥林匹克数学课本

小学四年级

（最新版）

人大附中编

主编：刘彭芝

中国大百科全书出版社

图书在版编目(CIP)数据

仁华学校奥林匹克数学课本.四年级/刘彭芝主编. – 北京:中国大百科全书出版社,2003.12(2007.3 重印)

ISBN 978 – 7 – 5000 – 6980 – 5

Ⅰ.仁… Ⅱ.刘… Ⅲ.数学课 – 小学 – 教学参考资料 Ⅳ.G624.503

中国版本图书馆 CIP 数据核字(2003)第 118166 号

仁华学校奥林匹克数学课本(小学四年级·最新版)

主　　编:	刘彭芝
责任编辑:	简菊玲
封面设计:	何　茜
责任印制:	王丽荣

出版发行: 中国大百科全书出版社

(北京阜成门大街 17 号　100037　68315606)

http://www.ccph.com.cn

排　　版:	北京中文天地文化艺术有限公司
印　　刷:	北京通州皇家印刷厂印刷

版　　次:	2004 年 1 月第 1 版
印　　次:	2008 年 1 月第 12 次印刷
印　　张:	9.625
开　　本:	880×1230　1/32
字　　数:	210 千字
印　　数:	149001 – 155000 册

ISBN 978 – 7 – 5000 – 6980 – 5

定　　价:	10.00 元

序

　　这套丛书是北京仁华学校的教学用书。

　　北京仁华学校是人大附中的超常教育实验基地。其前身为北京市华罗庚学校，2003 年 12 月改用新名（为叙述方便起见，下文涉及"北京市华罗庚学校"或"华校"的一律改用新名）。仁华学校的办学目的是探索科学实用、简单易行的鉴别与选拔超常儿童的方法，探索具有中国特色的超常教育模式，为国家大面积早期发现与培养现代杰出人才开辟一条切实可行的途径。在这里，数百位优秀教师精心执教，一批批超常儿童茁壮成长。仁华学校全体师生决心在教育改革的时代大潮中争做弄潮儿，为实现中华民族的伟大复兴甘当马前卒。

　　超常教育与早期教育为当今世界各国所重视。近年来，我国的众多有识之士投身超常教育事业，也取得了可喜的成果。超常教育是人类教育史上的一大进步，但同时也是一个复杂而全新的教育课题。无论在历史上还是现实生活中，少年出众，而成年寻常的人比比皆是。究其原因，往往在于成长的环境不佳，特别是未能在超常教育理论指导下施以特殊教育。因而，必须更新教育观念和教学模式，这样才能把大批聪慧儿童培养成为知识经济时代的栋梁之材。我们认为，超常儿童是具有良好的智力和非智力个性特征的统一体，是遗传与环境共同作用下的产物。基于此种看法，北京仁华学校的超常教育，以尊重个性和挖掘潜力为基本原则，强调选拔与培养相结合，不缩短学制而注重学生综合素质的全面提高。

仁华学校分为小学部、初中部和高中部。小学部属校外培训性质，招收小学三至六年级的学生，招生时间定在每年 9 月或 10 月，入学后每周学习一次。初中部和高中部属常规中等教育，纳入人大附中建制，每个年级设 4 - 6 个实验班。仁华学校初中部和高中部的生源分别主要来自小学部和初中部，同时面向全市招生。

仁华学校在办学过程中，逐渐形成了自己独特的课程体系。在必修课中，我们把数学作为带头学科，并以此促进物理、化学、生物、外语、计算机等其他学科的发展。这是因为，数学作为研究现实世界中数和形的一门基础科学，不仅对人类社会的进步和国家的建设发挥着关键的作用，而且对训练人们的思维能力具有重要的价值。此外，仁华学校还开设有现代少年、科学实践、社会实践、心理导向、创造发明和生物环保等特色课，以及汽车模拟驾驶、网页设计、天文观测、电子技术、几何画板、艺术体操、篆刻和摄影等选修课。华校全新的课程设置，近而言之，是希望学生能够增强学习兴趣，开阔知识视野；远而图之，则是为他们日后发展的多价值取向打下坚实而全面的科学文化基础。

仁华学校在办学过程中，还逐渐形成了一支思想新、业务精、肯吃苦、敢拼搏的教师队伍。这其中既有多年工作在教学第一线的中小学高级和特级教师，又有近年来执着于数学、物理、化学、生物、计算机等学科奥林匹克活动的高级教练员，还有中国科学院和各高等学校中教学科研上成绩卓著的专家教授。他们着眼于祖国的未来，甘做人梯，为超常教育事业辛勤耕耘，是仁华学校藉以成长、引以自豪的中流砥柱。

实践证明，仁华学校对超常儿童的培养方略是可取的。十余年来，仁华学校为高等学校输送了大量全面发展、学有特长并具备创新精神和高尚品德的优异人才。已毕业的16届实验班学生全部考取重点大学，其中进入北京大学和清华大学的人数约占总数的68%，保送生约占25%。不仅如此，还有近3000人次学生在区、市、国家乃至世界级的学科竞赛中获奖夺魁，数量位居北京市重点中学之首。仁华学校的学生在全国雷达表青少年科学英才竞赛中获一、二、三等奖各一次，在全俄罗斯数学竞赛中获两枚金牌、一枚银牌，在国际物理邀请赛中获一枚银牌，在国际信息学奥林匹克竞赛（IOI）中获一枚铜牌，在国际数学奥林匹克竞赛（IMO）中获满分金牌2枚和银牌1枚。近200人在各种发明比赛中获奖，其中几十人获全国及世界创造发明比赛的金奖、银奖，并取得五项国家专利。还有33人次在全国科学论文评比中获一、二、三等奖。此外，实验班的同学在艺术体育等方面也成绩斐然。上述大量事实证明，一种新的教育理论和实践，使得一批又一批英才脱颖而出，这足以显示仁华学校的办学方向是正确的，教学是成功的。

仁华学校超常教育的实践和成果已引起全国和国际教育界的关注。华校现在是中国人才研究会超常人才专业委员会副理事长单位，其超常教育研究课题曾荣获北京市"八五"普教科研优秀成果二等奖。仁华学校先后有数十位师生参加了国际超常儿童教育学术会议，在各种国际会议上宣读论文三十余篇，并同五十多个国家和地区从事超常教育的学校及研究机构建立了友好往来或合作研究关系。

教材是教学质量的基本保证，也是教学的基础建设。高质量的教材，是建立在高水平的学术研究成果和丰富的教学经验基础之上的。我们组织编写的这套"北京市华罗庚学校奥林匹克系列丛书"的作者大部分都是原华校的骨干教师，开创了荟萃专家编书的格局。另外还有数位曾经在国际数学奥林匹克竞赛（IMO）中获得金牌和银牌的大学生和研究生参加撰写。这支由学生组成的特别劲旅将他们学习的真切感受和新鲜经验表达出来，使得本丛书独具一格。综合而言，展现在读者面前的这套丛书集实用、新颖、通俗、严谨等特点于一身，我们将其奉献给中小学教师、学生及家长，希望能博得广大读者的喜爱。此套丛书涉及数学、英语、物理和计算机等学科，目前已经出版和即将出版的有四十余册。

俗云："一花怒放诚可爱，万紫千红才是春。"仁华学校在努力办学、完善自身的同时，诚望对国内中小学教学水平的提高微尽绵薄，诚望与其他兄弟学校取长补短，携手共进。"合抱之木，生于毫末，九层之台，起于垒土。"遥望未来，让我们同呼志士之言：为中国在 21世纪成为科技强国而献身。

作为本系列丛书的主编，借这套丛书再次出版的机会，我再次以一个超常教育的积极参与者与组织者的名义，向各位辛勤的编著者致以衷心的谢意，恳请教育战线的前辈和同仁给予指导和推荐，也恳请广大师生在使用过程中提出宝贵的意见。

刘彭芝

写于 2001 年 1 月

修改于 2003 年 12 月

目 录

上 册

第 1 讲　速算与巧算（三）……………………（ 1 ）

第 2 讲　速算与巧算（四）……………………（ 9 ）

第 3 讲　定义新运算……………………………（ 16 ）

第 4 讲　等差数列及其应用……………………（ 26 ）

第 5 讲　倒推法的妙用…………………………（ 40 ）

第 6 讲　行程问题（一）………………………（ 47 ）

第 7 讲　几何中的计数问题（一）……………（ 56 ）

第 8 讲　几何中的计数问题（二）……………（ 65 ）

第 9 讲　图形的剪拼（一）……………………（ 77 ）

第 10 讲　图形的剪拼（二）……………………（ 87 ）

第 11 讲　格点与面积……………………………（ 95 ）

第 12 讲　数阵图…………………………………（106）

第 13 讲　填横式（一）…………………………（117）

第 14 讲　填横式（二）…………………………（126）

第 15 讲　数学竞赛试题选讲……………………（137）

目　录

下　册

第 *1* 讲　乘法原理 …………………………………… （149）

第 *2* 讲　加法原理 …………………………………… （157）

第 *3* 讲　排列 ……………………………………… （166）

第 *4* 讲　组合 ……………………………………… （174）

第 *5* 讲　排列组合 ………………………………… （182）

第 *6* 讲　排列组合的综合应用 ………………… （191）

第 *7* 讲　行程问题 ………………………………… （201）

第 *8* 讲　数学游戏 ………………………………… （209）

第 *9* 讲　有趣的数阵图（一） ………………… （219）

第 *10* 讲　有趣的数阵图（二） ………………… （230）

第 *11* 讲　简单的幻方及其他数阵图 …………… （242）

第 *12* 讲　数字综合题选讲 ……………………… （254）

第 *13* 讲　三角形的等积变形 …………………… （263）

第 *14* 讲　简单的统筹规划问题 ………………… （275）

第 *15* 讲　数学竞赛试题选讲 …………………… （286）

第 1 讲　速算与巧算（三）

【例1】　计算 $9 + 99 + 999 + 9999 + 99999$

解：在涉及所有数字都是 9 的计算中，常使用凑整法．例如将 999 化成 $1000 - 1$ 去计算．这是小学数学中常用的一种技巧．

$$9 + 99 + 999 + 9999 + 99999$$
$$= (10 - 1) + (100 - 1) + (1000 - 1) + (10000 - 1)$$
$$+ (100000 - 1)$$
$$= 10 + 100 + 1000 + 10000 + 100000 - 5$$
$$= 111110 - 5$$
$$= 111105.$$

【例2】　计算 $199999 + 19999 + 1999 + 199 + 19$

解：此题各数字中，除最高位是 1 外，其余都是 9，仍使用凑整法．不过这里是加 1 凑整．（如 $199 + 1 = 200$）

$$199999 + 19999 + 1999 + 199 + 19$$
$$= (199999 + 1) + (19999 + 1) + (1999 + 1) + (199 + 1)$$
$$+ (19 + 1) - 5$$
$$= 200000 + 20000 + 2000 + 200 + 20 - 5$$
$$= 222220 - 5$$
$$= 222215.$$

【例3】　计算 $(1 + 3 + 5 + \cdots + 1989) - (2 + 4 + 6 + \cdots$

1

＋1988）

解法 1：$(1+3+5+\cdots+1989)-(2+4+6\cdots+1988)$

$$=1+3+5+\cdots+1989-2-4-6\cdots-1988$$
$$=1+(3-2)+(5-4)+\cdots+(1989-1988)$$
$$=1+\underbrace{1+1+\cdots+1}_{\text{共有}1988\div2=994\text{个}1}$$
$$=995.$$

解法 2：先把两个括号内的数分别相加，再相减．第一个括号内的数相加的结果是：

$$1+3+5+\cdots+993+995+997+\cdots+1985+1987+1989$$

从 1 到 1989 共有 995 个奇数，凑成 497 个 1990，还剩下 995，第二个括号内的数相加的结果是：

$$2+4+6+\cdots+994+996+\cdots+1984+1986+1988$$

从 2 到 1988 共有 994 个偶数，凑成 497 个 1990．

$$1990\times497+995-1990\times497=995.$$

【例 4】 计算 $389+387+383+385+384+386+388$

解法 1：认真观察每个加数，发现它们都和整数 390 接近，所以选 390 为基准数．

$$389+387+383+385+384+386+388$$
$$=390\times7-1-3-7-5-6-4-2$$
$$=2730-28$$
$$=2702.$$

解法 2：也可以选 380 为基准数，则有

$389 + 387 + 383 + 385 + 384 + 386 + 388$

$= 380 \times 7 + 9 + 7 + 3 + 5 + 4 + 6 + 8$

$= 2660 + 42$

$= 2702.$

【例 5】　计算 $(4942 + 4943 + 4938 + 4939 + 4941 + 4943) \div 6$

解：认真观察可知此题关键是求括号中 6 个相接近的数之和，故可选 4940 为基准数．

$(4942 + 4943 + 4938 + 4939 + 4941 + 4943) \div 6$

$= (4940 \times 6 + 2 + 3 - 2 - 1 + 1 + 3) \div 6$

$= (4940 \times 6 + 6) \div 6$　　（这里没有把 4940×6 先算出来，而是运

$= 4940 \times 6 \div 6 + 6 \div 6$　　　用了除法中的巧算方法）

$= 4940 + 1$

$= 4941.$

【例 6】　计算 $54 + 99 \times 99 + 45$

解：此题表面上看没有巧妙的算法，但如果把 45 和 54 先结合可得 99，就可以运用乘法分配律进行简算了．

$54 + 99 \times 99 + 45$

$= (54 + 45) + 99 \times 99$

$= 99 + 99 \times 99$

$= 99 \times (1 + 99)$

$= 99 \times 100$

$= 9900.$

【例 7】　计算 $9999 \times 2222 + 3333 \times 3334$

解：此题如果直接乘，数字较大，容易出错．如果将 9999 变为 3333×3，规律就出现了

3

$$9999 \times 2222 + 3333 \times 3334$$
$$= 3333 \times 3 \times 2222 + 3333 \times 3334$$
$$= 3333 \times 6666 + 3333 \times 3334$$
$$= 3333 \times (6666 + 3334)$$
$$= 3333 \times 10000$$
$$= 33330000.$$

【例 8】 $1999 + 999 \times 999$

解法 1：$1999 + 999 \times 999$
$$= 1000 + 999 + 999 \times 999$$
$$= 1000 + 999 \times (1 + 999)$$
$$= 1000 + 999 \times 1000$$
$$= 1000 \times (999 + 1)$$
$$= 1000 \times 1000$$
$$= 1000000.$$

解法 2：$1999 + 999 \times 999$
$$= 1999 + 999 \times (1000 - 1)$$
$$= 1999 + 999000 - 999$$
$$= (1999 - 999) + 999000$$
$$= 1000 + 999000$$
$$= 1000000.$$

【例 9】 求 $\underbrace{99\cdots99}_{1988\text{个}9} \times \underbrace{99\cdots99}_{1988\text{个}9} + 1\underbrace{99\cdots99}_{1988\text{个}9}$ 所得结果末尾有多少个零.

解： $\underbrace{99\cdots99}_{1988\text{个}} \times \underbrace{99\cdots99}_{1988\text{个}} + 1\underbrace{99\cdots99}_{1988\text{个}}$
$$= \underbrace{99\cdots99}_{1988\text{个}} \times (1\underbrace{00\cdots00}_{1988\text{个}} - 1) + 1\underbrace{99\cdots99}_{1988\text{个}}$$
$$= \underbrace{99\cdots99}_{1988\text{个}}\underbrace{00\cdots00}_{1988\text{个}} - \underbrace{99\cdots99}_{1988\text{个}} + 1\underbrace{99\cdots99}_{1988\text{个}}$$

4

$$= \underbrace{99\cdots99}_{1988个}\underbrace{00\cdots00}_{1988个} + 1\underbrace{00\cdots00}_{1988个}$$

$$= 1\underbrace{00\cdots00}_{1988个}\underbrace{00\cdots00}_{1988个}$$

$$= 1\underbrace{00\cdots00}_{3976个}$$

总之，要想在计算中达到准确、简便、迅速，必须付出辛勤的劳动，要多练习，多总结，只有这样才能做到熟能生巧.

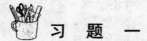 **习 题 一**

1. 计算 $899998 + 89998 + 8998 + 898 + 88$

2. 计算 $799999 + 79999 + 7999 + 799 + 79$

3. 计算 $(1988 + 1986 + 1984 + \cdots + 6 + 4 + 2) - (1 + 3 + 5 + \cdots + 1983 + 1985 + 1987)$

4. 计算 $1 - 2 + 3 - 4 + 5 - 6 + \cdots + 1991 - 1992 + 1993$

5. 时钟 1 点钟敲 1 下，2 点钟敲 2 下，3 点钟敲 3 下，依次类推. 从 1 点到 12 点这 12 个小时内时钟共敲了多少下？

6. 求出从 $1 \sim 25$ 的全体自然数之和.

7. 计算 $1000 + 999 - 998 - 997 + 996 + 995 - 994 - 993 + \cdots + 108 + 107 - 106 - 105 + 104 + 103 - 102 - 101$

8. 计算 $92 + 94 + 89 + 93 + 95 + 88 + 94 + 96 + 87$

9. 计算 $(125 \times 99 + 125) \times 16$

10. 计算 $3 \times 999 + 3 + 99 \times 8 + 8 + 2 \times 9 + 2 + 9$

11. 计算 999999×78053

12. 两个 10 位数 1111111111 和 9999999999 的乘积中，有几个数字是奇数？

13．已知被乘数是$\underbrace{888\cdots8}_{1993个8}$，乘数是$\underbrace{999\cdots9}_{1993个9}$，它们的积是多少？

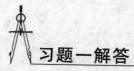

习题一解答

1．利用凑整法解．

$899998 + 89998 + 8998 + 898 + 88$

$= （899998 + 2）+（89998 + 2）+（8998 + 2）+（898$
$+ 2）（88 + 2）- 10$

$= 900000 + 90000 + 9000 + 900 + 90 - 10$

$= 999980．$

2．利用凑整法解．

$799999 + 79999 + 7999 + 799 + 79$

$= 800000 + 80000 + 8000 + 800 + 80 - 5$

$= 888875．$

3．$（1988 + 1986 + 1984 + \cdots + 6 + 4 + 2）-（1 + 3 + 5$
$+ \cdots + 1983 + 1985 + 1987）$

$= 1988 + 1986 + 1984 + \cdots + 6 + 4 + 2 - 1 - 3 - 5 \cdots$
$- 1983 - 1985 - 1987$

$=（1988 - 1987）+（1986 - 1985）+ \cdots +（6 - 5）$
$+（4 - 3）+（2 - 1）$

$= 994．$

4．$1 - 2 + 3 - 4 + 5 - 6 + \cdots + 1991 - 1992 + 1993$

$= 1 +（3 - 2）+（5 - 4）+ \cdots +（1991 - 1990）+$
$（1993 - 1992）$

$= 1 + 1 \times 996$

$= 997．$

5. $1 + 2 + 3 + 4 + 5 + 6 + 7 + 8 + 9 + 10 + 11 + 12$
   $= 13 \times 6 = 78(下)$.

6. $1 + 2 + 3 + \cdots + 24 + 25$
    $= (1 + 25) + (2 + 24) + (3 + 23) + \cdots + (11 + 15) +$
    $(12 + 14) + 13$
    $= 26 \times 12 + 13 = 325$.

7. 解法 1：$1000 + 999 - 998 - 997 + 996 + 995 - 994$
   $- 993 + \cdots + 108 + 107 - 106 - 105 + 104 + 103 - 102 - 101$
   $\qquad = (1000 + 999 - 998 - 997) + (996 + 995 - 994$
   $\qquad\qquad - 993) + \cdots + (108 + 107 - 106 - 105) +$
   $\qquad\qquad (104 + 103 - 102 - 101)$
   $\qquad = \underbrace{4 + 4 + \cdots + 4}_{225个4}$
   $\qquad = 4 \times 225$
   $\qquad = 900$.

解法 2：原式 $= (1000 - 998) + (999 - 997) + (104 - 102)$
   $\qquad\qquad + (103 - 101)$
   $\qquad = 2 \times 450$
   $\qquad = 900$.

解法 3：原式 $= 1000 + (999 - 998 - 997 + 996) + (995 -$
   $\qquad\qquad 994 - 993 + 992) + \cdots + (107 - 106 -$
   $\qquad\qquad 105 + 104) + (103 - 102 - 101 + 100) - 100$
   $\qquad = 1000 - 100$
   $\qquad = 900$.

8. $92 + 94 + 89 + 93 + 95 + 88 + 94 + 96 + 87$
   $= 90 \times 9 + 2 + 4 - 1 + 3 + 5 - 2 + 4 + 6 - 3$
   $= 810 + 18 = 828$.

9. $(125 \times 99 + 125) \times 16$

$= 125 \times (99 + 1) \times 16$

$= 125 \times 100 \times 8 \times 2$

$= 125 \times 8 \times 100 \times 2$

$= 200000 .$

10．$3 \times 999 + 3 + 99 \times 8 + 8 + 2 \times 9 + 2 + 9$

$= 3 \times (999 + 1) + 8 \times (99 + 1) + 2 \times (9 + 1) + 9$

$= 3 \times 1000 + 8 \times 100 + 2 \times 10 + 9$

$= 3829 .$

11．999999×78053

$= (1000000 - 1) \times 78053$

$= 78053000000 - 78053$

$= 78052921947 .$

12．$1111111111 \times 9999999999$

$= 1111111111 \times (10000000000 - 1)$

$= 11111111110000000000 - 1111111111$

$= 11111111108888888889 .$

这个积有 10 个数字是奇数．

13．$\underbrace{888\cdots 8}_{1993个} \times \underbrace{999\cdots 9}_{1993个} = \underbrace{888\cdots 8}_{1993个} \times (1\,\underbrace{00\cdots 0}_{1993个} - 1)$

$= \underbrace{888\cdots 8}_{1993个}\underbrace{000\cdots 0}_{1993个} - \underbrace{888\cdots 8}_{1993个}$

$= \underbrace{888\cdots 8}_{1992个} 7 \underbrace{111\cdots 1}_{1992个} 2 .$

第**2**讲　速算与巧算（四）

【例1】　比较下面两个积的大小：

$A = 987654321 \times 123456789$，

$B = 987654322 \times 123456788$.

分析　经审题可知 A 的第一个因数的个位数字比 B 的第一个因数的个位数字小 1，但 A 的第二个因数的个位数字比 B 的第二个因数的个位数字大 1．所以不经计算，凭直接观察不容易知道 A 和 B 哪个大．但是无论是对 A 或是对 B，直接把两个因数相乘求积又太繁，所以我们开动脑筋，将 A 和 B 先进行恒等变形，再作判断．

解：$A = 987654321 \times 123456789$

$\qquad = 987654321 \times (123456788 + 1)$

$\qquad = 987654321 \times 123456788 + 987654321$.

$B = 987654322 \times 123456788$

$\quad = (987654321 + 1) \times 123456788$

$\quad = 987654321 \times 123456788 + 123456788$.

因为 $987654321 > 123456788$，所以 $A > B$.

【例2】　不用笔算，请你指出下面哪道题得数最大，并说明理由.

241×249　　　242×248　　　243×247

244×246　　　245×245.

解：利用乘法分配律，将各式恒等变形之后，再判断.

$241 \times 249 = (240 + 1) \times (250 - 1) = 240 \times 250 + 1 \times 9$；

$242 \times 248 = (240 + 2) \times (250 - 2) = 240 \times 250 + 2 \times 8$；

$243 \times 247 = (240 + 3) \times (250 - 3) = 240 \times 250 + 3 \times 7$；

$244 \times 246 = (240 + 4) \times (250 - 4) = 240 \times 250 + 4 \times 6$；

$245 \times 245 = (240 + 5) \times (250 - 5) = 240 \times 250 + 5 \times 5$．

恒等变形以后的各式有相同的部分 240×250，又有不同的部分 1×9，2×8，3×7，4×6，5×5，由此很容易看出 245×245 的积最大．

一般说来，将一个整数拆成两部分（或两个整数），两部分的差值越小时，这两部分的乘积越大．

如：$10 = 1 + 9 = 2 + 8 = 3 + 7 = 4 + 6 = 5 + 5$

则 $5 \times 5 = 25$ 积最大．

【例3】 求 1966、1976、1986、1996、2006 五个数的总和．

解：五个数中，后一个数都比前一个数大 10，可看出 1986 是这五个数的平均值，故其总和为：

$1986 \times 5 = 9930$．

【例4】 2、4、6、8、10、12…是连续偶数，如果五个连续偶数的和是 320，求它们中最小的一个．

解：五个连续偶数的中间一个数应为 $320 \div 5 = 64$，因相邻偶数相差 2，故这五个偶数依次是 60、62、64、66、68，其中最小的是 60．

总结以上两题，可以概括为巧用中数的计算方法．三个连续自然数，中间一个数为首末两数的平均值；五个连续自然数，中间的数也有类似的性质——它是五个自然数的平均值．如果用字母表示更为明显，这五个数可以记作：$x - 2$、$x - 1$、x、$x + 1$、$x + 2$．如此类推，对于奇数个连续自然数，最中间的数是所有这些自然数的平均值．如：对于 $2n+1$ 个连续自然数可以表示为：$x-n$，$x-n+1$，$x-n+2$，$\cdots$，$x-1$，x，$x+1$，$\cdots$ $x+n-1$，$x+n$，其中 x 是这 $2n+1$ 个自然数的平均值．

　　巧用中数的计算方法，还可进一步推广，请看下面例题．

【例 5】　将 1～1001 各数按下面格式排列：

1	2	3	4	5	6	7
8	9	10	11	12	13	14
15	16	17	18	19	20	21
22	23	24	25	26	27	28
		...		...		
		...		...		
995	996	997	998	999	1000	1001

　　一个正方形框出九个数，要使这九个数之和等于：

　　① 1986，② 2529，③ 1989，能否办到？如果办不到，请说明理由．

　　解：仔细观察，方框中的九个数里，最中间的一个是这九个数的平均值，即中数．又因横行相邻两数相差 1，是 3 个连续自然数，竖列 3 个数中，上下两数相差 7．框中的九个数之和应是 9 的倍数．

　　① 1986 不是 9 的倍数，故不行；

　　② $2529÷9＝281$，是 9 的倍数，但是 $281÷7＝40×7+1$，这说明 281 在题中数表的最左一列，显然它不能做中数，也不行；

　　③ $1989÷9＝221$，是 9 的倍数，且 $221÷7＝31×7+4$，

11

这就是说 221 在数表中第四列，它可做中数．这样可求出所框九数之和为 1989 是办得到的，且最大的数是 229，最小的数是 213．

这个例题是所谓的"月历卡"上的数字问题的推广．同学们，小小的月历卡上还有那么多有趣的问题呢！所以平时要注意观察，认真思考，积累巧算经验．

 习 题 二

1．右图的 30 个方格中，最上面的一横行和最左面的一竖列的数已经填好，其余每个格子中的数等于同一横行最左边的数与同一竖列最上面的数之和（如方格中 $a = 14 + 17 = 31$）．右图填满后，这 30 个数的总和是多少？

10	11	13	15	17	19
12					
14				a	
16					
18					

2．有两个算式：

① 98765×98769，　　② 98766×98768，

请先不要计算出结果，用最简单的方法很快比较出哪个得数大，大多少？

3．比较 568×764 和 567×765 哪个积大？

4．在下面四个算式中，最大的得数是多少？

① $1992 \times 1999 + 1999$　② $1993 \times 1998 + 1998$

③ $1994 \times 1997 + 1997$　④ $1995 \times 1996 + 1996$

5．五个连续奇数的和是 85，求其中最大和最小的数．

6．45 是从小到大五个整数之和，这些整数相邻两数

之差是 3，请你写出这五个数.

7．把从 1 到 100 的自然数如下表那样排列．在这个数表里，把长的方面 3 个数，宽的方面 2 个数，一共 6 个数用长方形框围起来，这 6 个数的和为 81．在数表的别的地方，如上面一样地框起来的 6 个数的和为 429，问此时长方形框子里最大的数是多少？

```
 1   2   3   4   5   6   7
 8   9  10  11  12  13  14
15  16  17  18  19  20  21
22  23  24  25  26  27  28
...  ...  ...  ...  ...  ...  ...
...  ...  ...  ...  ...  97  98
99  100
```

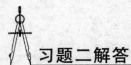

习题二解答

1．先按图意将方格填好，再仔细观察，找出格中数字的规律进行巧算.

解法 1：

	10	11	13	15	17	19
12×6	12	11+12	13+12	15+12	17+12	19+12
14×6	14	11+14	13+14	15+14	17+14	19+14
16×6	16	11+16	13+16	15+16	17+16	19+16
18×6	18	11+18	13+18	15+18	17+18	19+18
		11×5	13×5	15×5	17×5	19×5

13

先算每一横行中的偶数之和：$(12+14+16+18)\times6=360$．

再算每一竖列中的奇数之和：

$$(11+13+15+17+19)\times5=375$$

最后算 30 个数的总和 $=10+360+375=745$．

解法 2：把每格的数算出填好．

先算出 $10+11+12+13+14+15$

$+16+17+18+19=145$，

再算其余格中的数．经观察可以

列出下式：

10	11	13	15	17	19
12	23	25	27	29	31
14	25	27	29	31	33
16	27	29	31	33	35
18	29	31	33	35	37

$$(23+37)+(25+35)\times2$$
$$+(27+33)\times3+(29$$
$$+31)\times4$$
$$=60\times(1+2+3+4)$$
$$=600$$

最后算总和：

总和 $=145+600=745$．

2．① 98765×98769

$=98765\times(98768+1)$

$=98765\times98768+98765$．

② 98766×98768

$=(98765+1)\times98768$

$=98765\times98768+98768$．

所以②比①大 3．

3．同上题解法相同：$568\times764>567\times765$．

4．根据"若保持和不变，则两个数的差越小，积越大"，则 $1996\times1996=3984016$ 是最大的得数．

5．$85\div5=17$ 为中数，则五个数是：13、15、17、

14

19、21 最大的是 21，最小的数是 13.

6．45÷5＝9 为中数，则这五个数是：3，6，9，12，15.

7．观察已框出的六个数，10 是上面一行的中间数，17 是下面一行的中间数，10＋17＝27 是上、下两行中间数之和．这个中间数之和可以用 81÷3＝27 求得．利用框中六个数的这种特点，求方框中的最大数．

429÷3＝143

(143＋7)÷2＝75　　　　　　　75＋1＝76

最大数是 76.

第**3**讲 定义新运算

我们学过的常用运算有：＋、－、×、÷等．

如：$2+3=5$

$2×3=6$

都是 2 和 3，为什么运算结果不同呢？主要是运算方式不同，实际是对应法则不同．可见一种运算实际就是两个数与一个数的一种对应方法，对应法则不同就是不同的运算．当然，这个对应法则应该是对任意两个数，通过这个法则都有一个唯一确定的数与它们对应．只要符合这个要求，不同的法则就是不同的运算．在这一讲中，我们定义了一些新的运算形式，它们与我们常用的"＋"，"－"，"×"，"÷"运算不相同．

我们先通过具体的运算来了解和熟悉"定义新运算"．

【例1】 设 a、b 都表示数，规定 $a△b=3×a-2×b$，

① 求 $3△2$，$2△3$；

② 这个运算"△"有交换律吗？

③ 求 $(17△6)△2$，$17△(6△2)$；

④ 这个运算"△"有结合律吗？

⑤ 如果已知 $4△b=2$，求 b．

分析 解定义新运算这类题的关键是抓住定义的本质，本题规定的运算的本质是：用运算符号前面的数的 3 倍减去符号后面的数的 2 倍．

16

解：① $3 \triangle 2 = 3 \times 3 - 2 \times 2 = 9 - 4 = 5$

$2 \triangle 3 = 3 \times 2 - 2 \times 3 = 6 - 6 = 0$.

② 由①的例子可知"$\triangle$"没有交换律.

③ 要计算$(17 \triangle 6) \triangle 2$，先计算括号内的数，有：

$17 \triangle 6 = 3 \times 17 - 2 \times 6 = 39$；再计算第二步

$39 \triangle 2 = 3 \times 39 - 2 \times 2 = 113$，

所以$(17 \triangle 6) \triangle 2 = 113$.

对于$17 \triangle (6 \triangle 2)$，同样先计算括号内的数，

$6 \triangle 2 = 3 \times 6 - 2 \times 2 = 14$，其次

$17 \triangle 14 = 3 \times 17 - 2 \times 14 = 23$，

所以 $17 \triangle (6 \triangle 2) = 23$.

④ 由③的例子可知"$\triangle$"也没有结合律.

⑤ 因为$4 \triangle b = 3 \times 4 - 2 \times b = 12 - 2b$，那么$12 - 2b = 2$，

解出 $b = 5$.

【例2】 定义运算※为$a ※ b = a \times b - (a + b)$，

① 求$5 ※ 7$，$7 ※ 5$；

② 求 $12 ※ (3 ※ 4)$，$(12 ※ 3) ※ 4$；

③ 这个运算"※"有交换律、结合律吗？

④ 如果 $3 ※ (5 ※ x) = 3$，求 x.

解：① $5 ※ 7 = 5 \times 7 - (5 + 7) = 35 - 12 = 23$，

$7 ※ 5 = 7 \times 5 - (7 + 5) = 35 - 12 = 23$.

② 要计算 $12 ※ (3 ※ 4)$，先计算括号内的数，有：

$3 ※ 4 = 3 \times 4 - (3 + 4) = 5$，再计算第二步

$12 ※ 5 = 12 \times 5 - (12 + 5) = 43$，

所以 $12 ※ (3 ※ 4) = 43$.

对于$(12 ※ 3) ※ 4$，同样先计算括号内的数，

$12 ※ 3 = 12 \times 3 - (12 + 3) = 21$，其次

$21 ※ 4 = 21 \times 4 - (21 + 4) = 59$，

所以 $(12 ※ 3) ※ 4 = 59$.

③ 由于 $a ※ b = a \times b - (a + b)$；

$$b ※ a = b \times a - (b + a)$$
$$= a \times b - (a + b) \quad （普通加法、乘法交换律）$$

所以有 $a ※ b = b ※ a$，因此"※"有交换律.

由②的例子可知，运算"※"没有结合律.

④ $5 ※ x = 5x - (5 + x) = 4x - 5$；

$$3 ※ (5 ※ x) = 3 ※ (4x - 5)$$
$$= 3(4x - 5) - (3 + 4x - 5)$$
$$= 12x - 15 - (4x - 2)$$
$$= 8x - 13$$

那么 $8x - 13 = 3$

解出 $x = 2$.

【例3】 定义新的运算 $a \oplus b = a \times b + a + b$.

① 求 $6 \oplus 2$，$2 \oplus 6$；

② 求 $(1 \oplus 2) \oplus 3$，$1 \oplus (2 \oplus 3)$；

③ 这个运算有交换律和结合律吗？

解：① $6 \oplus 2 = 6 \times 2 + 6 + 2 = 20$，

$\quad\quad 2 \oplus 6 = 2 \times 6 + 2 + 6 = 20$.

② $(1 \oplus 2) \oplus 3 = (1 \times 2 + 1 + 2) \oplus 3$

$$= 5 \oplus 3$$
$$= 5 \times 3 + 5 + 3$$
$$= 23$$

$1 \oplus (2 \oplus 3) = 1 \oplus (2 \times 3 + 2 + 3)$

$$= 1 \oplus 11$$
$$= 1 \times 11 + 1 + 11$$

$$= 23.$$

③　先看"⊕"是否满足交换律：

$a \oplus b = a \times b + a + b$

$b \oplus a = b \times a + b + a$

$\qquad = a \times b + a + b$　　（普通乘法与加法的交换律）

所以 $a \oplus b = b \oplus a$，因此⊕满足交换律.

再看"⊕"是否满足结合律：

$(a \oplus b) \oplus c = (a \times b + a + b) \oplus c$

$= (a \times b + a + b) \times c + a \times b + a + b + c$

$= abc + ac + bc + ab + a + b + c$

$a \oplus (b \oplus c) = a \oplus (b \times c + b + c)$

$= a \times (b \times c + b + c) + a + b \times c + b + c$

$= abc + ab + ac + a + bc + b + c$

$= abc + ac + bc + ab + a + b + c.$　　（普通加法的交换律）

所以$(a \oplus b) \oplus c = a \oplus (b \oplus c)$，因此"⊕"满足结合律.

说明：⊕对于普通的加法不满足分配律，看反例：

$1 \oplus (2 + 3) = 1 \oplus 5 = 1 \times 5 + 1 + 5 = 11$；

$1 \oplus 2 + 1 \oplus 3 = 1 \times 2 + 1 + 2 + 1 \times 3 + 1 + 3$

$\qquad = 5 + 7 = 12,$

因此 $1 \oplus (2 + 3) \neq 1 \oplus 2 + 1 \oplus 3.$

【例4】　有一个数学运算符号"⊗"，使下列算式成立：

$2 \otimes 4 = 8$，$5 \otimes 3 = 13$，$3 \otimes 5 = 11$，$9 \otimes 7 = 25$，求 $7 \otimes 3 = ?$

解：通过对 $2 \otimes 4 = 8$，$5 \otimes 3 = 13$，$3 \otimes 5 = 11$，$9 \otimes 7 = 25$ 这几个算式的观察，找到规律：

$a \otimes b = 2a + b$，因此 $7 \otimes 3 = 2 \times 7 + 3 = 17.$

【例5】 x、y 表示两个数，规定新运算"$*$"及"$\triangle$"如下：$x * y = mx + ny$，$x \triangle y = kxy$，其中 m、n、k 均为自然数，已知 $1 * 2 = 5$，$(2 * 3) \triangle 4 = 64$，求 $(1 \triangle 2) * 3$ 的值.

分析 我们采用分析法，从要求的问题入手，题目要求 $(1 \triangle 2) * 3$ 的值，首先我们要计算 $1 \triangle 2$，根据"$\triangle$"的定义：$1 \triangle 2 = k \times 1 \times 2 = 2k$，由于 k 的值不知道，所以首先要计算出 k 的值. k 值求出后，$1 \triangle 2$ 的值也就计算出来了，我们设 $1 \triangle 2 = a$.

$(1 \triangle 2) * 3 = a * 3$，按"$*$"的定义：$a * 3 = ma + 3n$，在只有求出 m、n 时，我们才能计算 $a * 3$ 的值. 因此要计算 $(1 \triangle 2) * 3$ 的值，我们就要先求出 k、m、n 的值. 通过 $1 * 2 = 5$ 可以求出 m、n 的值，通过 $(2 * 3) \triangle 4 = 64$ 求出 k 的值.

解：因为 $1 * 2 = m \times 1 + n \times 2 = m + 2n$，所以有 $m + 2n = 5$. 又因为 m、n 均为自然数，所以解出：

$$\begin{cases} m = 1 \\ n = 2 \end{cases} \qquad \begin{cases} m = 2 \\ n = \dfrac{3}{2} \end{cases}（舍去）\qquad \begin{cases} m = 3 \\ n = 1 \end{cases}$$

① 当 $m = 1$，$n = 2$ 时：

$(2 * 3) \triangle 4 = (1 \times 2 + 2 \times 3) \triangle 4 = 8 \triangle 4 = k \times 8 \times 4 = 32k$

有 $32k = 64$，解出 $k = 2$.

② 当 $m = 3$，$n = 1$ 时：

$(2 * 3) \triangle 4 = (3 \times 2 + 1 \times 3) \triangle 4 = 9 \triangle 4 = k \times 9 \times 4 = 36k$

有 $36k = 64$，解出 $k = 1\dfrac{7}{9}$，这与 k 是自然数矛盾，

因此 $m = 3$，$n = 1$，$k = 1\dfrac{7}{9}$ 这组值应舍去.

所以 $m=1$，$n=2$，$k=2$.

$$
\begin{aligned}
(1\triangle 2) * 3 &= (2\times 1\times 2) * 3 \\
&= 4 * 3 \\
&= 1\times 4 + 2\times 3 \\
&= 10.
\end{aligned}
$$

在上面这一类定义新运算的问题中，关键的一条是：抓住定义这一点不放，在计算时，严格遵照规定的法则代入数值. 还有一个值得注意的问题是：定义一个新运算，这个新运算常常不满足加法、乘法所满足的运算定律，因此在没有确定新运算是否具有这些性质之前，不能运用这些运算律来解题.

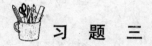

习 题 三

1．$a * b$ 表示 a 的 3 倍减去 b 的 $\frac{1}{2}$，例如：

$1 * 2 = 1\times 3 - 2\times \frac{1}{2} = 2$，根据以上的规定，

计算：① $10 * 6$　　② $7 * (2 * 1)$.

2．定义新运算为 $a\ominus b = \dfrac{a+1}{b}$，

① 求 $2\ominus(3\ominus 4)$ 的值；

② 若 $x\ominus 4 = 1.35$，则 $x = ?$

3．有一个数学运算符号。，使下列算式成立：

$\dfrac{1}{2} \circ \dfrac{2}{3} = \dfrac{3}{6}$，$\dfrac{4}{5} \circ \dfrac{7}{9} = \dfrac{11}{45}$，$\dfrac{5}{6} \circ \dfrac{1}{7} = \dfrac{6}{42}$，求 $\dfrac{3}{11} \circ \dfrac{4}{5}$ 的值.

4．定义两种运算"$\oplus$"、"$\otimes$"，对于任意两个整数 a、b，$a\oplus b = a + b - 1$，$a\otimes b = a\times b - 1$，

① 计算 $4\otimes[(6\oplus 8)\oplus(3\oplus 5)]$ 的值；

② 若 $x \oplus (x \otimes 4) = 30$，求 x 的值.

5．对于任意的整数 x、y，定义新运算"$\triangle$"，

$$x \triangle y = \frac{6 \times x \times y}{m \times x + 2 \times y}$$（其中 m 是一个确定的整数），

如果 $1 \triangle 2 = 2$，则 $2 \triangle 9 = ?$

6．对于数 a、b 规定运算"$\triangledown$"为 $a \triangledown b = (a + 1) \times (1 - b)$，若等式 $(a \triangledown a) \triangledown (a + 1) = (a + 1) \triangledown (a \triangledown a)$ 成立，求 a 的值.

7．"$*$"表示一种运算符号，它的含义是：

$$x * y = \frac{1}{xy} + \frac{1}{(x + 1)(y + A)},$$

已知 $2 * 1 = \frac{1}{2 \times 1} + \frac{1}{(2 + 1)(1 + A)} = \frac{2}{3}$，求 $1998 * 1999$ 的值.

8．$a ※ b = \dfrac{a + b}{a \div b}$，在 $x ※ (5 ※ 1) = 6$ 中，求 x 的值.

9．规定 $a \triangle b = a + (a + 1) + (a + 2) + \cdots + (a + b - 1)$，$(a$、$b$ 均为自然数，$b > a)$ 如果 $x \triangle 10 = 65$，那么 $x = ?$

10．我们规定：符号 $\circ$ 表示选择两数中较大数的运算，例如：$5 \circ 3 = 3 \circ 5 = 5$，符号 $\triangle$ 表示选择两数中较小数的运算，例如：$5 \triangle 3 = 3 \triangle 5 = 3$，计算：

$$\frac{\left(0.\dot{6} \circ \frac{17}{26}\right) + \left(0.625 \triangle \frac{23}{33}\right)}{\left(0.\dot{3} \triangle \frac{34}{99}\right) + \left(\frac{237}{106} \circ 2.25\right)} = ?$$

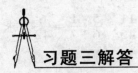

习题三解答

1．解：① $10 * 6 = 10 \times 3 - 6 \times \frac{1}{2} = 30 - 3 = 27.$

② $7 * (2 * 1) = 7 * \left(2 \times 3 - 1 \times \dfrac{1}{2}\right)$

$\qquad\qquad = 7 * 5.5$

$\qquad\qquad = 7 \times 3 - 5.5 \times \dfrac{1}{2}$

$\qquad\qquad = 18.25.$

2．解：① $2 \ominus (3 \ominus 4) = 2 \ominus \dfrac{3+1}{4}$

$\qquad\qquad\qquad = 2 \ominus 1$

$\qquad\qquad\qquad = \dfrac{2+1}{1}$

$\qquad\qquad\qquad = 3.$

② 按照规定的运算：$x \ominus 4 = \dfrac{x+1}{4}$，所以有 $\dfrac{x+1}{4} = 1.35$，

解出 $x = 4.4$.

3．解：通过对 $\dfrac{1}{2} \circ \dfrac{2}{3} = \dfrac{3}{6}$，$\dfrac{4}{5} \circ \dfrac{7}{9} = \dfrac{11}{45}$，$\dfrac{5}{6} \circ \dfrac{1}{7} = \dfrac{6}{42}$ 这

几个算式的观察，找到规律为：$\dfrac{b}{a} \circ \dfrac{d}{c} = \dfrac{b+d}{a \times c}$.

因此 $\dfrac{3}{11} \circ \dfrac{4}{5} = \dfrac{7}{55}$.

4．解：$4 \otimes \left[(6 \oplus 8) \oplus (3 \oplus 5)\right]$

$\qquad = 4 \otimes \left[(6+8-1) \oplus (3+5-1)\right]$

$\qquad = 4 \otimes \left[13 \oplus 7\right]$

$\qquad = 4 \otimes (13+7-1)$

$\qquad = 4 \otimes 19$

$\qquad = 4 \times 19 - 1$

$\qquad = 75.$

② 因为 $x \oplus (x \otimes 4) = x \oplus (4x - 1)$

$\qquad\qquad\qquad\qquad = x + 4x - 1 - 1$

$\qquad\qquad\qquad\qquad = 5x - 2$

所以有 $5x - 2 = 30$，解出 $x = 6.4$．

5．解：按照规定的运算 $1 \triangle 2 = \dfrac{6 \times 1 \times 2}{m \times 1 + 2 \times 2} = \dfrac{12}{m+4}$，

所以有 $\dfrac{12}{m+4} = 2$，解出 $m = 2$．

于是，$2 \triangle 9 = \dfrac{6 \times 2 \times 9}{2 \times 2 + 2 \times 9} = \dfrac{54}{11} = 4\dfrac{10}{11}$．

6．解：先看等式 $(a \triangledown a) \triangledown (a+1) = (a+1) \triangledown (a \triangledown a)$
的左边：
$$
\begin{aligned}
(a \triangledown a) \triangledown (a+1) &= [(a+1) \times (1-a)] \triangledown (a+1) \\
&= (1-a^2) \triangledown (a+1) \\
&= (1-a^2+1) \times [1-(a+1)] \\
&= a^3 - 2a
\end{aligned}
$$

再看等式 $(a \triangledown a) \triangledown (a+1) = (a+1) \triangledown (a \triangledown a)$ 的右边：
$$
\begin{aligned}
(a+1) \triangledown (a \triangledown a) &= (a+1) \triangledown [(a+1) \times (1-a)] \\
&= (a+1) \triangledown (1-a^2) \\
&= (a+1+1) \times [1-(1-a^2)] \\
&= a^3 + 2a^2
\end{aligned}
$$

所以有 $a^3 - 2a = a^3 + 2a^2$

因此 $\quad a^2 + a = 0$

因为 $a^2 \geqslant 0$，要使 $a^2 + a = 0$，只有 $a = 0$，因此 $a = 0$．

7．解：由于 $2 * 1 = \dfrac{1}{2 \times 1} + \dfrac{1}{(2+1) \times (1+A)}$

$= \dfrac{1}{2} + \dfrac{1}{3 \cdot (1+A)}$，所以有 $\dfrac{1}{2} + \dfrac{1}{3 \cdot (1+A)} = \dfrac{2}{3}$，

解出 $A = 1$．

因此 $1998 * 1999 = \dfrac{1}{1998 \times 1999} + \dfrac{1}{(1998+1) \times (1999+1)}$

$= \dfrac{1}{1998 \times 1999} + \dfrac{1}{1999 \times 2000}$

$$= \frac{1}{1998} - \frac{1}{1999} + \frac{1}{1999} - \frac{1}{2000}$$

$$= \frac{1}{1998} - \frac{1}{2000}$$

$$= \frac{1}{1998000}.$$

8．解：由于

$$x ※ (5 ※ 1) = x ※ \frac{5+1}{5÷1} = x ※ 1.2 = \frac{x+1.2}{x÷1.2}$$

因此　$\frac{x+1.2}{x÷1.2} = 6$，解出　$x = 0.3$．

9．解：按照规定的运算：

$$x △ 10 = x + (x+1) + (x+2) + \cdots + (x+10-1)$$
$$= 10x + (1+2+3+\cdots+9) = 10x + 45$$

因此有 $10x + 45 = 65$，解出 $x = 2$．

10．解：要计算 $\dfrac{\left(0.\dot{6} \circ \frac{17}{26}\right) + \left(0.625 △ \frac{23}{33}\right)}{\left(0.\dot{3} △ \frac{34}{99}\right) + \left(\frac{237}{106} \circ 2.25\right)}$ 的值，我们

先看分子：$0.\dot{6} \circ \frac{17}{26} = \frac{2}{3} \circ \frac{17}{26} = \frac{34}{51} \circ \frac{34}{52} = \frac{34}{51} = \frac{2}{3}$；

$$0.625 △ \frac{23}{33} = \frac{5}{8} △ \frac{23}{33} = \frac{115}{184} △ \frac{115}{165} = \frac{115}{184} = \frac{5}{8}.$$

再看分母：$0.\dot{3} △ \frac{34}{99} = \frac{1}{3} △ \frac{34}{99} = \frac{33}{99} △ \frac{34}{99} = \frac{33}{99} = \frac{1}{3}$；

$$\frac{237}{106} \circ 2.25 = 2\frac{25}{106} \circ 2\frac{1}{4} = 2\frac{25}{106} \circ 2\frac{25}{100}$$

$$= 2\frac{25}{100} = 2\frac{1}{4}.$$

因此 $\dfrac{\left(0.\dot{6} \circ \frac{17}{26}\right) + \left(0.625 △ \frac{23}{33}\right)}{\left(0.\dot{3} △ \frac{34}{99}\right) + \left(\frac{237}{106} \circ 2.25\right)} = \dfrac{\frac{2}{3} + \frac{5}{8}}{\frac{1}{3} + 2\frac{1}{4}} = \frac{1}{2}.$

第4讲 等差数列及其应用

许多同学都知道这样一个故事：大数学家高斯在很小的时候，就利用巧妙的算法迅速计算出从 1 到 100 这100 个自然数的总和．大家在佩服赞叹之余，有没有仔细想一想，高斯为什么算得快呢？当然，小高斯的聪明和善于观察是不必说了，往深处想，最基本的原因却是这100 个数及其排列的方法本身具有极强的规律性——每项都比它前面的一项大 1，即它们构成了差相等的数列，而这种数列有极简便的求和方法．通过这一讲的学习，我们将不仅掌握有关这种数列求和的方法，而且学会利用这种数列来解决许多有趣的问题．

一、等差数列

什么叫等差数列呢？我们先来看几个例子：

① 1，2，3，4，5，6，7，8，9，…

② 1，3，5，7，9，11，13．

③ 2，4，6，8，10，12，14…

④ 3，6，9，12，15，18，21．

⑤ 100，95，90，85，80，75，70．

⑥ 20，18，16，14，12，10，8．

这六个数列有一个共同的特点，即相邻两项的差是一个固定的数，像这样的数列就称为等差数列．其中这

26

个固定的数就称为公差，一般用字母 d 表示，如：

数列①中，$d = 2 - 1 = 3 - 2 = 4 - 3 = \cdots = 1$；

数列②中，$d = 3 - 1 = 5 - 3 = \cdots = 13 - 11 = 2$；

数列⑤中，$d = 100 - 95 = 95 - 90 = \cdots = 75 - 70 = 5$；

数列⑥中，$d = 20 - 18 = 18 - 16 = \cdots = 10 - 8 = 2$.

【例 1】 下面的数列中，哪些是等差数列？若是，请指明公差，若不是，则说明理由.

① 6，10，14，18，22，…，98；

② 1，2，1，2，3，4，5，6；

③ 1，2，4，8，16，32，64；

④ 9，8，7，6，5，4，3，2；

⑤ 3，3，3，3，3，3，3，3；

⑥ 1，0，1，0，1，0，1，0；

解：①是，公差 $d = 4$.

②不是，因为数列的第 3 项减去第 2 项不等于数列的第 2 项减去第 1 项.

③不是，因为 $4 - 2 \neq 2 - 1$.

④是，公差 $d = 1$.

⑤是，公差 $d = 0$.

⑥不是，因为第 1 项减去第 2 项不等于第 2 项减去第 3 项.

一般地说，如果一个数列是等差数列，那么这个数列的每一项或者都不小于前面的项，或者每一项都大于前面的项，上述例 1 的数列⑥中，第 1 项大于第 2 项，第 2 项却又小于第 3 项，所以，显然不符合等差数列的定义.

为了叙述和书写的方便，通常，我们把数列的第 1

项记为 a_1，第 2 项记为 a_2，…，第 n 项记为 a_n，a_n 又称为数列的通项，a_1 又称为数列的首项，最后一项又称为数列的末项.

二、通项公式

对于公差为 d 的等差数列 a_1，a_2，…a_n…来说，如果 a_1 小于 a_2，则显然 $a_2 - a_1 = a_3 - a_2 = \cdots = a_n - a_{n-1} = \cdots = d$，因此：

$$a_2 = a_1 + d$$
$$a_3 = a_2 + d = (a_1 + d) + d = a_1 + 2d$$
$$a_4 = a_3 + d = (a_1 + 2d) + d = a_1 + 3d$$
…

由此可知：$\boxed{a_n = a_1 + (n-1) \times d}$ (1)

若 a_1 大于 a_2，则同理可推得：

$\boxed{a_n = a_1 - (n-1) \times d}$ (2)

公式（1）（2）叫做等差数列的通项公式，利用通项公式，在已知首项和公差的情况下可以求出等差数列中的任何一项.

【例 2】 求等差数列 1，6，11，16… 的第 20 项.

解：首项 $a_1 = 1$，又因为 a_2 大于 a_1，

公差 $d = 6 - 1 = 5$，所以运用公式（1）可知：

第 20 项 $a_{20} = a_1 + (20 - 1) \times 5 = 1 + 19 \times 5 = 96$.

一般地，如果知道了通项公式中的两个量就可以求出另外一个量，如：由通项公式，我们可以得到项数公式：

项数
$$n = (a_n - a_1) \div d + 1 (若 \ a_n \ 大于 \ a_1)$$
$$或 \ n = (a_1 - a_n) \div d + 1 (若 \ a_n \ 小于 \ a_1)$$
（3）

【例3】 已知等差数列 2，5，8，11，14…，问 47 是其中第几项？

解：首项 $a_1 = 2$，公差 $d = 5 - 2 = 3$

令 $a_n = 47$

则利用项数公式可得：

$n = (47 - 2) \div 3 + 1 = 16$.

即 47 是第 16 项.

【例4】 如果一等差数列的第 4 项为 21，第 6 项为 33，求它的第 8 项.

分析与解答 方法1：要求第 8 项，必须知道首项和公差.

因为 $a_4 = a_1 + 3 \times d$，又 $a_4 = 21$，所以 $a_1 = 21 - 3 \times d$

又 $a_6 = a_1 + 5 \times d$，又 $a_6 = 33$，所以 $a_1 = 33 - 5 \times d$

所以：$21 - 3 \times d = 33 - 5 \times d$，

所以 $d = 6$ 　　 $a_1 = 21 - 3 \times d = 3$，

所以 $a_8 = 3 + 7 \times 6 = 45$.

方法2：考虑到 $a_8 = a_7 + d = a_6 + d + d = a_6 + 2 \times d$，其中 a_6 已知，只要求 $2 \times d$ 即可.

又 $a_6 = a_5 + d = a_4 + d + d = a_4 + 2 \times d$，

所以 $2 \times d = a_6 - a_4$

所以 $a_8 = a_6 + 2 \times d = a_6 + a_6 - a_4 = 2 \times a_6 - a_4 = 45$.

方法2说明：如果能够灵活运用等差数列各项间的关系，解题将更为简便.

三、等差数列求和

若 a_1 小于 a_2，则公差为 d 的等差数列 a_1，a_2，a_3，…，a_n 可以写为 a_1，$a_1 + d$，$a_1 + d \times 2$，…，$a_1 + d \times (n - 1)$．所以，容易知道：$a_1 + a_n = a_2 + a_{n-1} = a_3 + a_{n-2}$
$= a_4 + a_{n-3} = \cdots = a_{n-1} + a_2 = a_n + a_1$．

设 $\quad S_n = a_1 + a_2 + a_3 + \cdots + a_n$，

则 $\quad S_n = a_n + a_{n-1} + a_{n-2} + \cdots + a_1$，

两式相加可得：

$$2 \times S_n = (a_1 + a_n) + (a_2 + a_{n-1}) + \cdots + (a_n + a_1)$$

即：$2 \times S_n = n \times (a_1 + a_n)$，所以，

$$\boxed{S_n = n \times (a_1 + a_n) \div 2} \qquad (4)$$

当 a_1 大于 a_2 时，同样也可以得到上面的公式．这个公式就是等差数列的前 n 项和的公式．

【例 5】 计算 $1 + 5 + 9 + 13 + 17 + \cdots + 1993$．

解：因为 1，5，9，13，17，…，1993 是一个等差数列，且 $a_1 = 1$，$d = 4$，$a_n = 1993$．

所以，$n = (a_n - a_1) \div d + 1 = 499$．

所以，$1 + 5 + 9 + 13 + 17 + \cdots + 1993$

$= (1 + 1993) \times 499 \div 2$

$= 997 \times 499$

$= 497503$．

题目做完以后，我们再来分析一下，本题中的等差数列有 499 项，中间一项即第 250 项的值是 997，而和恰等于 997×499．其实，这并不是偶然的现象，关于中项有如下定理：

> 对于任意一个项数为奇数的等差数列来说，中间一项的值等于所有项的平均数，也等于首项与末项和的一半；或者换句话说，各项和等于中间项乘以项数.

这个定理称为中项定理.

【例6】 建筑工地有一批砖，码成如右图形状，最上层两块砖，第2层6块砖，第3层10块 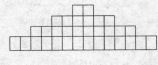 砖…，依次每层都比其上面一层多4块砖，已知最下层2106块砖，问中间一层多少块砖？这堆砖共有多少块？

解：如果我们把每层砖的块数依次记下来，2，6，10，14，…容易知道，这是一个等差数列.

方法1：

$a_1 = 2$，$d = 4$，$a_n = 2106$，

则 $n = (a_n - a_1) \div d + 1 = 527$

则中间一项为 $a_{264} = a_1 + (264 - 1) \times 4 = 1054$.

这堆砖共有

$(a_1 + a_n) \times n \div 2 = (2 + 2106) \times 527 \div 2 = 555458$（块）.

方法2：

$a_1 = 2$，$d = 4$，$a_n = 2106$，

则中间一项为 $(a_1 + a_n) \div 2 = 1054$

$n = (a_n - a_1) \div d + 1 = 527$

这堆砖共有 $1054 \times 527 = 555458$（块）.

【例7】 求从1到2000的自然数中，所有偶数之和

与所有奇数之和的差.

解：根据题意可列出算式：

$(2 + 4 + 6 + 8 + \cdots + 2000) - (1 + 3 + 5 + \cdots + 1999)$

解法 1：可以看出，2，4，6，…，2000 是一个公差为 2 的等差数列，1，3，5，…，1999 也是一个公差为 2 的等差数列，且项数均为 1000，所以：

原式 $= (2 + 2000) \times 1000 \div 2 - (1 + 1999) \times 1000 \div 2$
    $= 1000.$

解法 2：注意到这两个等差数列的项数相等，公差相等，且对应项差 1，所以 1000 项就差了 1000 个 1，即
原式 $= 1000 \times 1 = 1000.$

【例 8】 连续九个自然数的和为 54，则以这九个自然数的末项作为首项的九个连续自然数之和是多少？

分析与解答 方法 1：要想求这九个连续自然数之和，可以先求出这九个连续自然数中最小的一个. 即条件中的九个连续自然数的末项.

因为，条件中九个连续自然数的和为 54，所以，这九个自然数的中间数为 $54 \div 9 = 6$，则末项为 $6 + 4 = 10$. 因此，所求的九个连续自然数之和为 $(10 + 18) \times 9 \div 2 = 126$.

方法 2：考察两组自然数之间的关系可以发现：后一组自然数的每一项比前一组自然数的对应项大 8，因此，后一组自然数的和应为 $54 + 8 \times 9 = 126$.

在方法 1 中，可以用另一种方法来求末项，根据求和公式 $S_n = (a_1 + a_n) \times n \div 2$，则 $a_1 + a_9 = 54 \times 2 \div 9$. 又因为 $a_1 = a_9 - 8$，所以代入后也可求出 $a_9 = 10$.

【例 9】 100 个连续自然数（按从小到大的顺序排列）的和是 8450，取出其中第 1 个，第 3 个…第 99 个，

再把剩下的 50 个数相加，得多少？

分析与解答 方法 1：要求和，我们可以先把这 50 个数算出来.

100 个连续自然数构成等差数列，且和为 8450，则：

首项 + 末项 = 8450 × 2 ÷ 100 = 169，又因为末项比首项大 99，所以，首项 = (169 - 99) ÷ 2 = 35. 因此，剩下的 50 个数为：36，38，40，42，44，46…134. 这些数构成等差数列，和为 (36 + 134) × 50 ÷ 2 = 4250.

方法 2：我们考虑这 100 个自然数分成的两个数列，这两个数列有相同的公差，相同的项数，且剩下的数组成的数列比取走的数组成的数列的相应项总大 1，因此，剩下的数的总和比取走的数的总和大 50，又因为它们相加的和为 8450. 所以，剩下的数的总和为 (8450 + 50) ÷ 2 = 4250.

四、等差数列的应用

【例 10】 把 210 拆成 7 个自然数的和，使这 7 个数从小到大排成一行后，相邻两个数的差都是 5，那么，第 1 个数与第 6 个数分别是多少？

解：由题可知：由 210 拆成的 7 个数必构成等差数列，则中间一个数为 210 ÷ 7 = 30，所以，这 7 个数分别是 15、20、25、30、35、40、45. 即第 1 个数是 15，第 6 个数是 40.

【例 11】 把 27 枚棋子放到 7 个不同的空盒中，如果要求每个盒子都不空，且任意两个盒子里的棋子数目都不一样多，问能否办到，若能，写出具体方案，若不能，说明理由．

分析与解答 因为每个盒子都不空，所以盒子中至少有一枚棋子；同时，任两盒中棋子数不一样，所以 7 个盒中共有的棋子数至少为 $1+2+3+4+5+6+7=28$．但题目中只给了 27 枚棋子，所以，题中要求不能办到．

【例 12】 从 1 到 50 这 50 个连续自然数中，取两数相加，使其和大于 50，有多少种不同的取法？

解： 设满足条件的两数为 a、b，且 $a<b$，则

若 $a=1$，则 $b=50$，共 1 种．

若 $a=2$，则 $b=49$，50，共 2 种．

若 $a=3$，则 $b=48$，49，50，共 3 种．

…

若 $a=25$，则 $b=26$，27，…50，共 25 种．

若 $a=26$，则 $b=27$，28，…50，共 24 种．（$a=26$，$b=25$ 的情形与 $a=25$，$b=26$ 相同，舍去）．

若 $a=27$，则 $b=28$，29，…50，共 23 种．

…

若 $a=49$，则 $b=50$，共 1 种．

所以，所有不同的取法种数为

$1+2+3+\cdots+25+24+23+22+\cdots+1$

$=2\times(1+2+3+\cdots+24)+25=625$．

【例 13】 $x+y+z=1993$ 有多少组正整数解．

解： $x=1991$，则 $y+z=2$，$\therefore y=z=1$ 1 组

$x=1990$，则 $y+z=3$，$\therefore \begin{cases} y=1 \\ z=2 \end{cases}$ 或 $\begin{cases} y=2 \\ z=1 \end{cases}$ 2 组

$x=1989$，则 $y+z=4$，$\begin{cases} y=1 \\ z=3 \end{cases} \begin{cases} y=2 \\ z=2 \end{cases} \begin{cases} y=3 \\ z=1 \end{cases}$ 3 组

$x = 1988$，则 $y + z = 5$， $\begin{cases} y = 1 \\ z = 4 \end{cases} \begin{cases} y = 2 \\ z = 3 \end{cases}$

… $\begin{cases} y = 3 \\ z = 2 \end{cases} \begin{cases} y = 4 \\ z = 1 \end{cases}$ 4 组

$x = 2$，则 $y + z = 1991$…   1990 组

$x = 1$，则 $y + z = 1992$…   1991 组

显然，x 不能等于 1992，1993.

所以，原方程的不同的整数解的组数是：

$1 + 2 + 3 + \cdots + 1991 = 1983036$.

本题中运用了分类的思想，先按照 x 的值分类，在每一类中，又从 y 的角度来分类，如：$x = 1987$ 时，因为 $y + z = 6$，且 y、z 均为正整数，所以 y 最小取 1，最大取 5，即按 $y = 1$，2，3，4，5 分类，每一类对应一组解，因此，$x = 1987$ 时，共 5 组解.

【例13】 把所有奇数排列成下面的数表，根据规律，请指出：① 197 排在第几行的第几个数？

② 第 10 行的第 9 个数是多少？

$$
\begin{array}{ccccccccc}
 & & & & 1 & & & & \\
 & & & 3 & 5 & 7 & & & \\
 & & 9 & 11 & 13 & 15 & 17 & & \\
 & 19 & 21 & 23 & 25 & 27 & 29 & 31 & \\
33 & 35 & 37 & 39 & 41 & 43 & 45 & 47 & 49 \\
 & & & \cdots & & \cdots & & & \\
\end{array}
$$

分析与解答 ① 197 是奇数中的第 99 个数.

数表中，第 1 行有 1 个数.

第 2 行有 3 个数.

第 3 行有 5 个数…

第 n 行有 $2 \times n - 1$ 个数

因此，前 n 行中共有奇数的个数为：

$1 + 3 + 5 + 7 + \cdots + (2 \times n - 1)$

$= [1 + (2 \times n - 1)] \times n \div 2$

$= n \times n$

因为 $9 \times 9 < 99 < 10 \times 10$. 所以，第 99 个数位于数表的第 10 行的倒数第 2 个数，即第 18 个数，即 197 位于第 10 行第 18 个数.

② 第 10 行的第 9 个数是奇数中的第 90 个数.（因为 $9 \times 9 + 9 = 90$），它是 179.

【例 14】 将自然数如下排列，

$$
\begin{array}{cccccc}
1 & 2 & 6 & 7 & 15 & 16 & \cdots \\
3 & 5 & 8 & 14 & 17 & \cdots \\
4 & 9 & 13 & 18 & \cdots \\
10 & 12 & \cdots \\
11 & \cdots \\
\cdots
\end{array}
$$

在这样的排列下，数字 3 排在第 2 行第 1 列，13 排在第 3 行第 3 列，问：1993 排在第几行第几列？

分析与解答 不难看出，数表的排列规律如箭头所指，为研究的方便，我们不妨把原图顺时针转动 45°，就成为三角阵（如下页右图），三角阵中，第 1 行 1 个数，第 2 行 2 个数…第 n 行就有 n 个数，设 1993 在三角阵中的第 n 行，则：

$1 + 2 + 3 + \cdots + n - 1 < 1993 \leqslant 1 + 2 + 3 + \cdots + n$

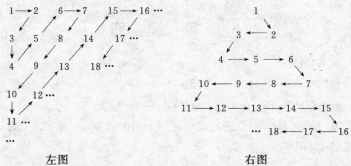

左图　　　　　　　　　　　右图

即：$n \times (n-1) \div 2 < 1993 \leqslant n \times (n+1) \div 2$

用试值的方法，可以求出 $n = 63$.

又因为 $1 + 2 + \cdots + 62 = 1953$，即第 62 行中最大的数为 1953. 三角阵中，奇数列的数字从左到右，依次增大，又 $1993 - 1953 = 40$，所以，1993 是三角阵中第 63 行从左开始数起的第 40 个数（若从右开始数，则为第 24 个数）.

把三角阵与左图作比较，可以发现：

① 三角阵中每一行从左开始数起的第几个数，就位于左图的第几列.

② 三角阵中每一行从右开始数起的第几个数，就位于左图的第几行.

由此，我们可知，1993 位于原图的 24 行 40 列.

习 题 四

1．求值：

① $6 + 11 + 16 + \cdots + 501$.

② $101 + 102 + 103 + 104 + \cdots + 999$.

2．下面的算式是按一定规律排列的，那么，第 100 个算式的得数是多少？

$4 + 2$，$5 + 8$，$6 + 14$，$7 + 20$，…

3．11 至 18 这 8 个连续自然数的和再加上 1992 后所得的值恰好等于另外 8 个连续数的和，这另外 8 个连续自然数中的最小数是多少？

4．把 100 根小棒分成 10 堆，每堆小棒根数都是单数且一堆比一堆少两根，应如何分？

5．300 到 400 之间能被 7 整除的各数之和是多少？

6．100 到 200 之间不能被 3 整除的数之和是多少？

7．把一堆苹果分给 8 个小朋友，要使每个人都能拿到苹果，而且每个人拿到苹果个数都不同的话，这堆苹果至少应该有几个？

8．下表是一个数字方阵，求表中所有数之和.

1，2，3，4，5，6…98，99，100

2，3，4，5，6，7…99，100，101

3，4，5，6，7，8…100，101，102

…

100，101，102，103，104，105…197，198，199

习题四解答

1. ① 25350.

② 494450.

2. 699.

3. 最小的数为 11 + 1992 ÷ 8 = 260.

4. 分为 1，3，5，7，9，11，13，15，17，19.

5. 这些数构成以 301 为首项，7 为公差，项数为 15 的等差数列，它们的和为：5250.

6. 考虑能被 3 整除的各数之和 102 + 105 + … + 198 然后，(100 + 101 + 102 + … + 200) − (102 + 105 + … + 198) = 10200.

7. 1 + 2 + 3 + 4 + 5 + 6 + 7 + 8 = 36 个.

8. 每行数均为等差数列，且每行的和又构成公差为 100 的等差数列，1000000.

第5讲 倒推法的妙用

在分析应用题的过程中，倒推法是一种常用的思考方法．这种方法是从所叙述应用题或文字题的结果出发，利用已知条件一步一步倒着分析、推理，直到解决问题．

【例1】 一次数学考试后，李军问于昆数学考试得多少分．于昆说："用我得的分数减去 8 加上 10，再除以 7，最后乘以 4，得 56．"小朋友，你知道于昆得多少分吗？

分析 这道题如果顺推思考，比较麻烦，很难理出头绪来．如果用倒推法进行分析，就像剥卷心菜一样层层深入，直到解决问题．

如果把于昆的叙述过程编成一道文字题：一个数减去 8，加上 10，再除以 7，乘以 4，结果是 56．求这个数是多少？

把一个数用 ☐ 来表示，根据题目已知条件可得到这样的等式：

$$\{[(☐-8)+10]\div 7\}\times 4 = 56 .$$

如何求出 ☐ 中的数呢？我们可以从结果 56 出发倒推回去．因为 56 是乘以 4 后得到的，而乘以 4 之前是 $56\div 4 = 14$．14 是除以 7 后得到的，除以 7 之前是 $14\times 7 = 98$．98 是加 10 后得到的，加 10 以前是 $98-10 = 88$．88 是减 8 以后得到的，减 8 以前是 $88+8 = 96$．这样倒推使问题得解．

解：$\{[(\boxed{}-8)+10]\div 7\}\times 4=56$

$\qquad [(\boxed{}-8)+10]\div 7=56\div 4$

$\qquad\quad (\boxed{}-8)+10=14\times 7$

$\qquad\qquad\qquad \boxed{}-8=98-10$

$\qquad\qquad\qquad\qquad \boxed{}=88+8$

$\qquad\qquad\qquad\qquad \boxed{}=96$

答：于昆这次数学考试成绩是 96 分.

通过以上例题说明，用倒推法解题时要注意：

① 从结果出发，逐步向前一步一步推理.

② 在向前推理的过程中，每一步运算都是原来运算的逆运算.

③ 列式时注意运算顺序，正确使用括号.

【例 2】　马小虎做一道整数减法题时，把减数个位上的 1 看成 7，把减数十位上的 7 看成 1，结果得出差是 111．问正确答案应是几？

分析　马小虎错把减数个位上 1 看成 7，使差减少 $7-1=6$，而把十位上的 7 看成 1，使差增加 $70-10=60$．因此这道题归结为某数减 6，加 60 得 111，求某数是几的问题.

解：$111-(70-10)+(7-1)=57$

答：正确的答案是 57.

【例 3】　树林中的三棵树上共落着 48 只鸟．如果从第一棵树上飞走 8 只落到第二棵树上；从第二棵树上飞走 6 只落到第三棵树上，这时三棵树上鸟的只数相等．问：原来每棵树上各落多少只鸟？

分析 倒推时以"三棵树上鸟的只数相等"入手分析，可得出现在每棵树上鸟的只数 $48 \div 3 = 16$（只）. 第三棵树上现有的鸟 16 只是从第二棵树上飞来的 6 只后得到的，所以第三棵树上原落鸟 $16 - 6 = 10$（只）. 同理，第二棵树上原有鸟 $16 + 6 - 8 = 14$（只）. 第一棵树上原落鸟 $16 + 8 = 24$（只），使问题得解.

解：① 现在三棵树上各有鸟多少只？

$48 \div 3 = 16$（只）

② 第一棵树上原有鸟只数. $16 + 8 = 24$（只）

③ 第二棵树上原有鸟只数. $16 + 6 - 8 = 14$（只）

④ 第三棵树上原有鸟只数. $16 - 6 = 10$（只）

答：第一、二、三棵树上原来各落鸟 24 只、14 只和 10 只.

【例4】 篮子里有一些梨. 小刚取走总数的一半多一个. 小明取走余下的一半多 1 个. 小军取走了小明取走后剩下一半多一个. 这时篮子里还剩梨 1 个. 问：篮子里原有梨多少个？

分析 依题意，画图进行分析.

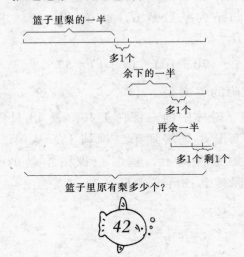

解：列综合算式：

$$\{[(1+1)\times2+1]\times2+1\}\times2$$
$$=22（个）$$

答：篮子里原有梨 22 个.

【例5】　甲乙两个油桶各装了 15 千克油. 售货员卖了 14 千克. 后来，售货员从剩下较多油的甲桶倒一部分给乙桶使乙桶油增加一倍；然后从乙桶倒一部分给甲桶，使甲桶油也增加一倍，这时甲桶油恰好是乙桶油的 3 倍. 问：售货员从两个桶里各卖了多少千克油？

分析　解题关键是求出甲、乙两个油桶最后各有油多少千克. 已知"甲、乙两个油桶各装油 15 千克. 售货员卖了 14 千克". 可以求出甲、乙两个油桶共剩油 15×2 － 14 ＝ 16（千克）. 又已知"甲、乙两个油桶所剩油"及"这时甲桶油恰是乙桶油的 3 倍". 就可以求出甲、乙两个油桶最后有油多少千克.

求出甲、乙两个油桶最后各有油的千克数后，再用倒推法并画图求甲桶往乙桶倒油前甲、乙两桶各有油多少千克，从而求出从两个油桶各卖出多少千克.

解：① 甲乙两桶油共剩多少千克？

$$15\times2-14=16（千克）$$

② 乙桶油剩多少千克？

$$16\div(3+1)=4（千克）$$

③ 甲桶油剩多少千克？

$$4\times3=12（千克）$$

用倒推法画图如下：

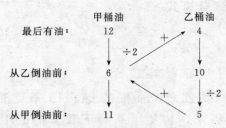

④ 从甲桶卖出油多少千克？$15-11=4$（千克）

⑤ 从乙桶卖出油多少千克？$15-5=10$（千克）

答：从甲桶卖出油 4 千克，从乙桶卖出油 10 千克.

【例6】 菜站原有冬贮大白菜若干千克. 第一天卖出原有大白菜的一半. 第二天运进 200 千克. 第三天卖出现有白菜的一半又 30 千克，结果剩余白菜的 3 倍是 1800 千克. 求原有冬贮大白菜多少千克？

分析 解题时用倒推法进行分析. 根据题目的已知条件画线段图（见下图），使数量关系清晰的展现出来.

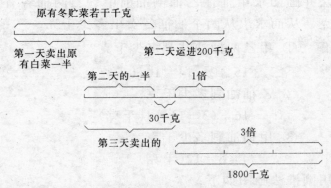

解：① 剩余的白菜是多少千克？$1800÷3=600$（千克）

② 第二天运进 200 千克后的一半是多少千克？

600 + 30 = 630（千克）

③ 第二天运进 200 千克后有白菜多少千克？

630 × 2 = 1260（千克）

④ 原来的一半是多少千克？ 1260 - 200 = 1060（千克）

⑤ 原有贮存多少千克？ 1060 × 2 = 2120（千克）

答：菜站原来贮存大白菜 2120 千克.

综合算式：

〔(1800 ÷ 3 + 30) × 2 - 200〕× 2 = 2120（千克）

答：菜站原有冬贮大白菜 2120 千克.

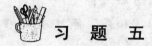 习 题 五

1．某数除以 4，乘以 5，再除以 6，结果是 615，求某数.

2．生产一批零件共 560 个，师徒二人合作用 4 天做完. 已知师傅每天生产零件的个数是徒弟的 3 倍. 师徒二人每天各生产零件多少个？

3．有砖 26 块，兄弟二人争着挑. 弟弟抢在前，刚刚摆好砖，哥哥赶到了. 哥哥看弟弟挑的太多，就抢过一半. 弟弟不肯，又从哥哥那儿抢走一半. 哥哥不服，弟弟只好给哥哥 5 块. 这时哥哥比弟弟多 2 块. 问：最初弟弟准备挑几块砖？

4．阿凡提去赶集，他用钱的一半买肉，再用余下钱的一半买鱼，又用剩下钱买菜. 别人问他带多少钱，他说："买菜的钱是 1、2、3；3、2、1；1、2、3、4、5、

6、7 的和；加 7 加 8，加 8 加 7、加 9 加 10 加 11。"你知道阿凡提一共带了多少钱？买鱼用了多少钱？

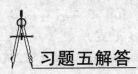

习题五解答

1．$615 \times 6 \div 5 \times 4 = 2952$．

2．提示：先找到 4 倍是多少个．

① 徒弟每天生产多少个？

$560 \div 4 \div (3 + 1) = 35$（个）

② 师傅每天生产多少个？

$35 \times 3 = 105$（个）

答：徒弟和师傅每天各生产 35 个、105 个．

3．提示：先用"和差"解法求出弟弟最后挑几块砖：

$(26 - 2) \div 2 = 12$（块）

再用倒推法求出弟弟最初准备挑几块砖．

$\{26 - [26 - (12 + 5)] \times 2\} \times 2$
$= 16$（块）

答：弟弟最初准备挑砖 16 块．

4．① 买菜的钱：

$1 + 2 + 3 + 3 + 2 + 1 + 1 + 2 + 3 + 4 + 5 + 6 + 7 + 7 + 8 + 8 + 7 + 9 + 10 + 11 = 100$（元）

② 总钱数：$100 \times 2 \times 2 = 400$（元）

③ 买鱼的钱：$400 \div 2 \div 2 = 100$（元）

答：阿凡提一共带了 400 元钱，买鱼用去 100 元钱．

第6讲 行程问题（一）

我们把研究路程、速度、时间以及这三者之间关系的一类问题，总称为行程问题．

在对小学数学的学习中，我们已经接触过一些简单的行程应用题，并且已经了解到：上述三个量之间存在这样的基本关系：路程＝速度×时间．因此，在这一讲中，我们将在前面学习的基础上，主要来研究行程问题中较为复杂的一类问题——反向运动问题，也即在同一道路上的两个运动物体作方向相反的运动的问题．它又包括相遇问题和相背问题．所谓相遇问题，指的就是上述两个物体以不同的点作为起点作相向运动的问题；所谓相背问题，指的就是这两个运动物体以同一点作为起点作背向运动的问题，下面，我们来具体看几个例子．

【例1】 甲、乙二人分别从相距30千米的两地同时出发相向而行，甲每小时走6千米，乙每小时走4千米，问：二人几小时后相遇？

分析 出发时甲、乙二人相距30千米，以后两人的距离每小时都缩短6＋4＝10（千米），即两人的速度的和（简称速度和），所以30千米里有几个10千米就是几小时相遇．

解：30÷（6＋4）

　　＝30÷10

　　＝3（小时）

答：3 小时后两人相遇.

例 1 是一个典型的相遇问题. 在相遇问题中有这样一个基本数量关系：

路程＝速度和×时间.

【例 2】 一列货车早晨 6 时从甲地开往乙地，平均每小时行 45 千米，一列客车从乙地开往甲地，平均每小时比货车快 15 千米，已知客车比货车迟发 2 小时，中午 12 时两车同时经过途中某站，然后仍继续前进，问：当客车到达甲地时，货车离乙地还有多少千米？

分析 货车每小时行 45 千米，客车每小时比货车快 15 千米，所以，客车速度为每小时 $(45 + 15)$ 千米；中午 12 点两车相遇时，货车已行了 $(12 - 6)$ 小时，而客车已行 $(12 - 6 - 2)$ 小时，这样就可求出甲、乙两地之间的路程. 最后，再来求当客车行完全程到达甲地时，货车离乙地的距离.

解： ① 甲、乙两地之间的距离是：

$45 \times (12 - 6) + (45 + 15) \times (12 - 6 - 2)$

$= 45 \times 6 + 60 \times 4$

$= 510$（千米）.

② 客车行完全程所需的时间是：

$510 \div (45 + 15)$

$= 510 \div 60$

$= 8.5$（小时）.

③ 客车到甲地时，货车离乙地的距离：

$510 - 45 \times (8.5 + 2)$

$= 510 - 472.5$

$= 37.5$（千米）.

答：客车到甲地时，货车离乙地还有 37.5 千米.

【**例 3**】　两列火车相向而行，甲车每小时行 36 千米，乙车每小时行 54 千米．两车错车时，甲车上一乘客发现：从乙车车头经过他的车窗时开始到乙车车尾经过他的车窗共用了 14 秒，求乙车的车长．

分析　首先应统一单位：甲车的速度是每秒钟 $36000 \div 3600 = 10$（米），乙车的速度是每秒钟 $54000 \div 3600 = 15$（米）．本题中，甲车的运动实际上可以看作是甲车乘客以每秒钟 10 米的速度在运动，乙车的运动则可以看作是乙车车头的运动，因此，我们只需研究下面这样一个运动过程即可：从乙车车头经过甲车乘客的车窗这一时刻起，乙车车头和甲车乘客开始作反向运动 14 秒，每一秒钟，乙车车头与甲车乘客之间的距离都增大 $(10 + 15)$ 米，因此，14 秒结束时，车头与乘客之间的距离为 $(10 + 15) \times 14 = 350$（米）．又因为甲车乘客最后看到的是乙车车尾，所以，乙车车头与甲车乘客在这段时间内所走的路程之和应恰等于乙车车身的长度，即：乙车车长就等于甲、乙两车在 14 秒内所走的路程之和.

解：$(10 + 15) \times 14$

$\qquad = 350$（米）

答：乙车的车长为 350 米.

我们也可以把例 3 称为一个相背运动问题，对于相背问题而言，相遇问题中的基本关系仍然成立.

【**例 4**】　甲、乙两车同时从 A、B 两地出发相向而行，两车在离 B 地 64 千米处第一次相遇．相遇后两车仍以原速继续行驶，并且在到达对方出发点后，立即沿原路返回，途中两车在距 A 地 48 千米处第二次相遇，问两次相遇点相距多少千米？

分析 甲、乙两车共同走完一个 AB 全程时，乙车走了 64 千米，从上图可以看出：它们到第二次相遇时共走了 3 个 AB 全程，因此，我们可以理解为乙车共走了 3 个 64 千米，再由上图可知：减去一个 48 千米后，正好等于一个 AB 全程．

解：① AB 间的距离是

$$64 \times 3 - 48$$
$$= 192 - 48$$
$$= 144 （千米）．$$

② 两次相遇点的距离为

$$144 - 48 - 64$$
$$= 32 （千米）．$$

答：两次相遇点的距离为 32 千米．

【例 5】 甲、乙二人从相距 100 千米的 A、B 两地同时出发相向而行，甲骑车，乙步行，在行走过程中，甲的车发生故障，修车用了 1 小时．在出发 4 小时后，甲、乙二人相遇，又已知甲的速度为乙的 2 倍，且相遇时甲的车已修好，那么，甲、乙二人的速度各是多少？

分析 甲的速度为乙的 2 倍，因此，乙走 4 小时的路，甲只要 2 小时就可以了，因此，甲走 100 千米所需的时间为(4－1＋4÷2)＝5 小时．这样就可求出甲的速度．

解：甲的速度为：

$100÷(4－1＋4÷2)$

$＝100÷5＝20$（千米/小时）．

乙的速度为：$20÷2＝10$（千米/小时）．

答：甲的速度为 20 千米/小时，乙的速度为 10 千米/小时．

【例 6】　某列车通过 250 米长的隧道用 25 秒，通过 210 米长的隧道用 23 秒，若该列车与另一列长 150 米、时速为 72 千米的列车相遇，错车而过需要几秒钟？

分析　解这类应用题，首先应明确几个概念：列车通过隧道指的是从车头进入隧道算起到车尾离开隧道为止．因此，这个过程中列车所走的路程等于车长加隧道长；两车相遇，错车而过指的是从两个列车的车头相遇算起到他们的车尾分开为止，这个过程实际上是一个以车头的相遇点为起点的相背运动问题，这两个列车在这段时间里所走的路程之和就等于他们的车长之和．因此，错车时间就等于车长之和除以速度之和．

列车通过 250 米的隧道用 25 秒，通过 210 米长的隧道用 23 秒，所以列车行驶的路程为（250－210）米时，所用的时间为（25－23）秒．由此可求得列车的车速为（250－210）÷（25－23）＝20（米/秒）．再根据前面的分析可知：列车在 25 秒内所走的路程等于隧道长加上车长，因此，这个列车的车长为 20×25－250＝250（米），从而可求出错车时间．

解：根据另一个列车每小时走 72 千米，所以，它的速度为：

$72000 \div 3600 = 20$（米/秒），

某列车的速度为：

$(250 - 210) \div (25 - 23) = 40 \div 2 = 20$（米/秒）

某列车的车长为：

$20 \times 25 - 250 = 500 - 250 = 250$（米），

两列车的错车时间为：

$(250 + 150) \div (20 + 20) = 400 \div 40 = 10$（秒）.

答：错车时间为 10 秒.

【例7】 甲、乙、丙三辆车同时从 A 地出发到 B 地去，甲、乙两车的速度分别为每小时 60 千米和 48 千米，有一辆迎面开来的卡车分别在它们出发后的 5 小时. 6 小时，8 小时先后与甲、乙、丙三辆车相遇，求丙车的速度.

分析 甲车每小时比乙车快 $60 - 48 = 12$（千米）. 则 5 小时后，甲比乙多走的路程为 $12 \times 5 = 60$（千米）. 也即在卡车与甲相遇时，卡车与乙的距离为 60 千米，又因为卡车与乙在卡车与甲相遇的 $6 - 5 = 1$ 小时后相遇，所以，可求出卡车的速度为 $60 \div 1 - 48 = 12$（千米/小时）

卡车在与甲相遇后，再走 $8 - 5 = 3$（小时）才能与丙相遇，而此时丙已走了 8 个小时，因此，卡车 3 小时所走的路程与丙 8 小时所走的路程之和就等于甲 5 小时所走的路程. 由此，丙的速度也可求得，应为：

$(60 \times 5 - 12 \times 3) \div 8 = 33$（千米/小时）.

解：卡车的速度：

$(60 - 48) \times 5 \div (6 - 5) - 48 = 12$（千米/小时），

丙车的速度：

$(60 \times 5 - 12 \times 3) \div 8 = 33$（千米/小时），

答：丙车的速度为每小时 33 千米.

注：在本讲中出现的"米/秒"、"千米/小时"等都是速度单位，如 5 米/秒表示为每秒钟走 5 米.

 习 题 六

1．甲、乙两车分别从相距 240 千米的 A、B 两城同时出发，相向而行，已知甲车到达 B 城需 4 小时，乙车到达 A 城需 6 小时，问：两车出发后多长时间相遇？

2．东、西镇相距 45 千米，甲、乙二人分别从两镇同时出发相向而行，甲比乙每小时多行 1 千米，5 小时后两人相遇，问两人的速度各是多少？

3．甲、乙二人以均匀的速度分别从 A、B 两地同时出发，相向而行，他们第一次相遇地点离 A 地 4 千米，相遇后二人继续前进，走到对方出发点后立即返回，在距 B 地 3 千米处第二次相遇，求两次相遇地点之间的距离.

4．甲、乙二人从相距 100 千米的 A、B 两地出发相向而行，甲先出发 1 小时．他们二人在乙出后的 4 小时相遇，又已知甲比乙每小时快 2 千米，求甲、乙二人的速度.

5．一列快车和一列慢车相向而行，快车的车长是 280 米，慢车的车长为 385 米，坐在快车上的人看见慢车驶过的时间是 11 秒，那么坐在慢车上的人看见快车驶过的时间是多少？

6. 前进钢铁厂用两辆汽车从距工厂 90 千米的矿山运矿石，现有甲、乙两辆汽车，甲车自矿山，乙车自钢铁厂同时出发相向而行，速度分别为每小时 40 千米和 50 千米，到达目的地后立即返回，如此反复运行多次，如果不计装卸时间，且两车不作任何停留，则两车在第三次相遇时，距矿山多少千米？

 习题六解答

1．解：$240 \div (240 \div 4 + 240 \div 6) = 2.4$（小时）．

2．解：① 甲、乙的速度和 $45 \div 5 = 9$（千米/小时）．

② 甲的速度：$(9 + 1) \div 2 = 5$（千米/小时）．

③ 乙的速度：$9 - 5 = 4$（千米/小时）．

3．解：① A、B 两地间的距离：

$4 \times 3 - 3 = 9$（千米）．

② 两次相遇点的距离：$9 - 4 - 3 = 2$（千米）．

4．解：① 乙的速度为：

$[100 - 2 \times (4 + 1)] \div (4 \times 2 + 1) = 10$（千米/小时）．

② 甲的速度为：$10 + 2 = 12$（千米/小时）．

提示：甲比乙每小时快 2 千米，则 $(4 + 1)$ 小时快 $2 \times (4 + 1) = 10$（千米），因此，相当于乙走 $100 - 10 = 90$ 千米的路需 $(4 \times 2 + 1) = 9$（小时）．

5．解：$280 \div (385 \div 11) = 8$（秒）．

提示：在这个过程中，对方的车长 = 两列车的速度和 × 驶过的时间．而速度和不变．

6．解：① 第三次相遇时两车的路程和为：

$90 + 90 \times 2 + 90 \times 2 = 450$（千米）．

② 第三次相遇时，两车所用的时间：

$450 \div (40 + 50) = 5$（小时）．

③ 距矿山的距离为：$40 \times 5 - 2 \times 90 = 20$（千米）．

第7讲 几何中的计数问题（一）

几何中的计数问题包括：数线段、数角、数长方形、数正方形、数三角形、数综合图形等．通过这一讲的学习，可以帮助我们养成按照一定顺序去观察、思考问题的良好习惯，逐步学会通过观察、思考探寻事物规律的能力．

一、数线段

我们把直线上两点间的部分称为线段，这两个点称为线段的端点．线段是组成三角形、正方形、长方形、多边形等最基本的元素．因此，观察图形中的线段，探寻线段与线段之间、线段与其他图形之间的联系，对于了解图形、分析图形是很重要的．

【例1】   数一数下列图形中各有多少条线段．

```
A   B   C        A   B   C   D        A   B   C   D   E
    (1)              (2)                  (3)
```

分析   要想使数出的每一个图形中线段的总条数，不重复、不遗漏，就需要按照一定的顺序、按照一定的规律去观察、去数．这样才不至于杂乱无章、毫无头绪．我们可以按照两种顺序或两种规律去数．

第一种：按照线段的端点顺序去数，如上图（1）中，线段最左边的端点是 A，即以 A 为左端点的线段有

56

AB、AC 两条以 B 为左端点的线段有 BC 一条，所以上图（1）中共有线段 $2+1=3$ 条．同样按照从左至右的顺序观察图（2）中，以 A 为左端点的线段有 AB、AC、AD 三条，以 B 为左端点的线段有 BC、BD 两条，以 C 为左端点的线段有 CD 一条．所以上页图（2）中共有线段为 $3+2+1=6$ 条．

第二种：按照基本线段多少的顺序去数．所谓基本线段是指一条大线段中若有 n 个分点，则这条大线段就被这 n 个分点分成 $n+1$ 条小线段，这每条小线段称为基本线段．如上页图（2）中，线段 AD 上有两个分点 B、C，这时分点 B、C 把 AD 分成 AB、BC、CD 三条基本线段，那么线段 AD 总共有多少条线段？首先有三条基本线段，其次是包含有二条基本线段的是：AC、BD 二条，然后是包含有三条基本线段的是 AD 这样一条．所以线段 AD 上总共有线段 $3+2+1=6$ 条，又如上页图（3）中线段 AE 上有三个分点 B、C、D，这样分点 B、C、D 把线段 AE 分为 AB、BC、CD、DE 四条基本线段，那么线段 AE 上总共有多少条线段？按照基本线段多少的顺序是：首先有 4 条基本线段，其次是包含有二条基本线段的有 3 条，然后是包含有三条基本线段的有 2 条，最后是包含有 4 条基本线段的有一条，所以线段 AE 上总共有线段是 $4+3+2+1=10$ 条．

解：① $2+1=3$（条）．

② $3+2+1=6$（条）．

③ $4+3+2+1=10$（条）．

小结：上述三例说明：要想不重复、不遗漏地数出所有线段，必须按照一定顺序有规律的去数，这个规律就是：线段的总条数等于从1开始的连续几个自然数的和，这个连续自然数的和的最大的加数是线段分点数加1或者是线段所有点数（包括线段的两个端点）减1．也就是基本线段的条数．例如右

图中线段 AF 上所有点数

$$A \quad B \quad C \quad D \quad E \quad F$$

（包括两个端点 A、F）共有6个，所以从1开始的连续自然数的和中最大的加数是 $6-1=5$，或者线段 AF 上的分点有4个（B、C、D、E）．所以从1开始的连续自然数的和中最大的加数是 $4+1=5$．也就是线段 AF 上基本线段（AB、BC、CD、DE、EF）的条数是5．所以线段 AF 上总共有线段的条数是 $5+4+3+2+1=15$（条）．

二、数　角

【例2】　数出右图中总共有多少个角．

分析　在 $\angle AOB$ 内有三条角

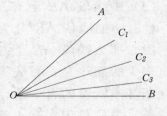

分线 OC_1、OC_2、OC_3，$\angle AOB$ 被这三条角分线分成4个基本角，那么 $\angle AOB$ 内总共有多少个角呢？首先有这4个基本角，其次是包含有2个基本角组成的角有3个（即 $\angle AOC_2$、$\angle C_1OC_3$、$\angle C_2OB$），然后是包含有3个基本角组成的角有2个（即 $\angle AOC_3$、$\angle C_1OB$），最后是包含有4个基本角组成的角有1个（即 $\angle AOB$），所以 $\angle AOB$ 内总共有角：

$4+3+2+1=10$（个）．

　　解：$4+3+2+1=10$（个）．

小结：数角的方法可以采用例 1 数线段的方法来数，就是角的总数等于从 1 开始的几个连续自然数的和，这个和里面的最大的加数是角分线的条数加 1，也就是基本角的个数.

【例 3】 数一数右图中总共有多少个角？

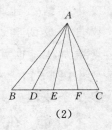

解：因为 $\angle AOB$ 内角分线 OC_1、$OC_2 \cdots OC_9$ 共有 9 条，即 $9 + 1 = 10$ 个基本角.

所以总共有角：$10 + 9 + 8 + \cdots + 4 + 3 + 2 + 1 = 55$（个）.

三、数三角形

【例 4】 如右图中，各个图形内各有多少个三角形？

分析 可以采用类似例 1 数线段的两种方法来数，如图（2）：

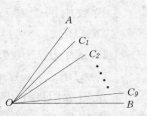

（1）　　　（2）

第一种方法：先数以 AB 为一条边的三角形共有：

$\triangle ABD$、$\triangle ABE$、$\triangle ABF$、$\triangle ABC$ 四个三角形.

再数以 AD 为一条边的三角形共有：

$\triangle ADE$、$\triangle ADF$、$\triangle ADC$ 三个三角形.

以 AE 为一条边的三角形共有：

$\triangle AEF$、$\triangle AEC$ 二个三角形.

最后以 AF 为一条边的三角形共有 $\triangle AFC$ 一个三角

形.

所以三角形的个数总共有 $4+3+2+1=10$.

第二种方法：先数图中小三角形共有：

$\triangle ABD$、$\triangle ADE$、$\triangle AEF$、$\triangle AFC$ 四个三角形.

再数由两个小三角形组合在一起的三角形共有：

$\triangle ABE$、$\triangle ADF$、$\triangle AEC$ 三个三角形，

以三个小三角形组合在一起的三角形共有：

$\triangle ABF$、$\triangle ADC$ 二个三角形，

最后数以四个小三角形组合在一起的只有 $\triangle ABC$ 一个.

所以图中三角形的个数总共有：$4+3+2+1=10$
（个）.

解：① $3+2+1=6$ （个）

② $4+3+2+1=10$ （个）.

答：图（1）及图（2）中各有三角形分别是 6 个和
10 个.

小结：计算三角形的总数也等于从 1 开始的几个连
续自然数的和，其中最大的加数就是三角形一边上的分
点数加 1，也就是三角形这边上分成的基本线段的条数.

【例5】 如右图中，数一数共有
多少条线段？共有多少个三角形？

分析 在数的过程中应充分利用
上几例总结的规律，明确数什么？怎
么数？这样两个问题. 数：就是要数
出图中基本线段（基本三角形）的条
数. 算：就是以基本线段（基本三角形）条数为最大加
数的从 1 开始的连续几个自然数的和.

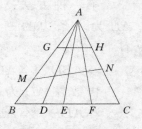

① 要数多少条线段：先看线段 AB、AD、AE、

AF、AC、上各有 2 个分点，各分成 3 条基本线段，再看 BC、MN、GH 这 3 条线段上各有 3 个分点，各分成 4 条基本线段．所以图中总共有线段是：

$$(3+2+1)\times 5+(4+3+2+1)\times 3=30+30=60(条).$$

② 要数有多少个三角形，先看在 $\triangle AGH$ 中，在 GH 上有 3 个分点，分成基本小三角形有 4 个．所以在 $\triangle AGH$ 中共有三角形 $4+3+2+1=10$（个）．在 $\triangle AMN$ 与 $\triangle ABC$ 中，三角形有同样的个数，所以在 $\triangle ABC$ 中三角形个数总共：

$$(4+3+2+1)\times 3=10\times 3=30(个).$$

解：① 在 $\triangle ABC$ 中共有线段是：

$$(3+2+1)\times 5+(4+3+2+1)\times 3=30+30=60(条)$$

② 在 $\triangle ABC$ 中共有三角形是：

$$(4+3+2+1)\times 3=10\times 3=30(个).$$

【例 6】 如右图中，共有多少个角？

分析　本题虽然与上几例有区别，但仍可以采用上几例所总结的规律去解决．

$\angle 1$、$\angle 2$、$\angle 3$、$\angle 4$ 我们可视为 4 个基本角，由 2 个基本角组成的有：$\angle 1$ 与 $\angle 2$、$\angle 2$ 与 $\angle 3$、$\angle 3$ 与 $\angle 4$、$\angle 4$ 与 $\angle 1$，共 4 个角．由 3 个基本角组成的角有：$\angle 1$、$\angle 2$ 与 $\angle 3$；$\angle 2$、$\angle 3$ 与 $\angle 4$；$\angle 3$、$\angle 4$ 与 $\angle 1$；$\angle 4$、$\angle 1$ 与 $\angle 2$，共 4 个角，由 4 个基本角组成的角只有一个．

所以图中总共有角是：$4\times 3+1=13$（个）．

解：所以图中共有角是：$4\times 3+1=13$（个）．

小结：由本题可以推出一般情况：若周角中含有 n 个基本角，那么它上面角的总数是 $n(n-1)+1$.

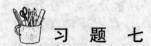

习　题　七

1. 数一数下图中,各有多少条线段?

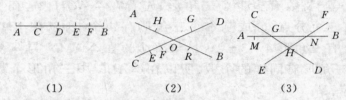

（1）　　　　　　（2）　　　　　　（3）

2. 数一数下图中各有多少角?

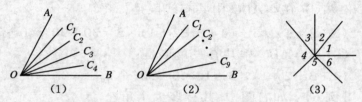

（1）　　　　　　（2）　　　　　　（3）

3. 数一数下图中,各有多少条线段?

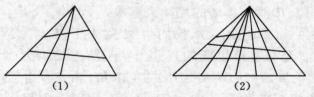

（1）　　　　　　　　　（2）

4. 数一数下图中,各有多少条线段,各有多少个三角形?

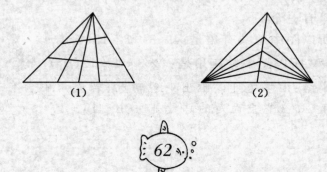

（1）　　　　　　　　（2）

习题七解答

1. ① 在 AB 线段上有 4 个分点,所以它上面线段的总条数为：$5+4+3+2+1=15$（条）.

② 在线段 AB 上有 3 个分点,所以它上面线段的总条数为：

　　$4+3+2+1=10$（条）.

在线段 CD 上有 4 个分点：所以它上面线段的总条数为：

　　$5+4+3+2+1=15$（条）.

∴ 整个图（2）共有线段 $10+15=25$（条）.

③ 在线段 AB 上有 3 个分点,它上面线段的条数为：

　　$4+3+2+1=10$（条）.

在线段 CD 上有 2 个分点,它上面线段的条数为：

　　$3+2+1=6$（条）.

在线段 EF 上有 2 个分点,它上面线段的条数为 6 条.

所以图（3）上总共有线段 $10+6+6=22$（条）.

2. ① 在 ∠AOB 内有 4 条角分线,所以共有角：

　　$5+4+3+2+1=15$（个）；

② 在 ∠AOB 内有 9 条角分线,所以共有角：

　　$10+9+8+7+6+5+4+3+2+1=55$（个）；

③ 周角内含有 6 个基本角,所以共有角：

　　$6\times(6-1)+1=31$（个）.

3. ① $(3+2+1)\times7=42$；

② $(6+5+4+3+2+1)\times4+(4+3+2+1)\times7$

　$=21\times4+10\times7=84+70=154$.

4. ① 有线段：$(4+3+2+1)\times3+(3+2+1)\times5$

$= 30 + 30 = 60$（条）

有三角形：$(4 + 3 + 2 + 1) \times 3 = 30$（个）；

② 有线段：$(5 + 4 + 3 + 2 + 1) + 5 \times 2 + (2 + 1)$

$\qquad = 15 + 10 + 3 = 28$（条）

有三角形：$(5 + 4 + 3 + 2 + 1) \times 2 + 5$

$\qquad = 15 \times 2 + 5 = 35$（个）.

第8讲 几何中的计数问题（二）

我们在已经学会数线段、数角、数三角形的基础上，通过本讲学习数长方形，正方形及数综合图形来进一步提高观察和思考问题的能力，学会在观察、思考、分析中总结归纳出解决问题的规律和方法．

一、数长方形

【例1】 如下图，数一数下列各图中长方形的个数？

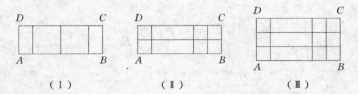

（Ⅰ）　　　　　（Ⅱ）　　　　　（Ⅲ）

分析 图（Ⅰ）中长方形的个数与 AB 边上所分成的线段的条数有关，每一条线段对应一个长方形，所以长方形的个数等于 AB 边上线段的条数，即长方形个数为：$4+3+2+1=10$（个）.

图（Ⅱ）中 AB 边上共有线段 $4+3+2+1=10$ 条．BC 边上共有线段：$2+1=3$（条），把 AB 上的每一条线段作为长，BC 边上每一条线段作为宽，每一个长配一个宽，就组成一个长方形，所以图（Ⅱ）中共有长方形为：$(4+3+2+1)\times(2+1)=10\times3=30$（个）.

图（Ⅲ）中，依据计算图（Ⅱ）中长方形个数的方法：可得长方形个数为：$(4+3+2+1) \times (3+2+1) = 60$（个）.

解：图（Ⅰ）中长方形个数为 $4+3+2+1 = 10$（个）.

图（Ⅱ）中长方形个数为：

$(4+3+2+1) \times (2+1) = 10 \times 3 = 30$（个）.

图（Ⅲ）中长方形个数为：

$(4+3+2+1) \times (3+2+1) = 10 \times 6 = 60$（个）.

小结：一般情况下，如果有类似图Ⅲ的任一个长方形一边上有 $n-1$ 个分点（不包括这条边的两个端点），另一边上有 $m-1$ 个分点（不包括这条边上的两个端点），通过这些点分别作对边的平行线且与另一边相交，这两组平行线将长方形分为许多长方形，这时长方形的总数为：

$(1+2+3+\cdots+m) \times (1+2+3+\cdots+n)$.

【例2】 如右图数一数图中长方形的个数.

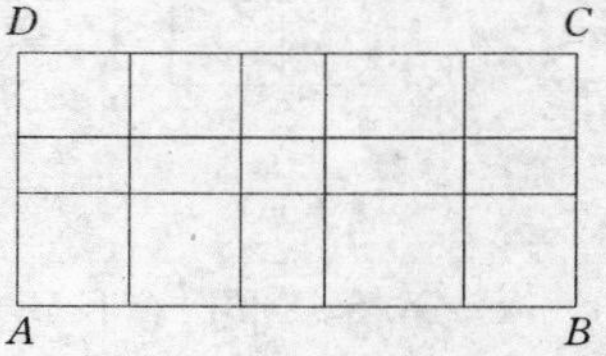

解：AB 边上分成的线段有：

$5+4+3+2+1 = 15$.

BC 边上分成的线段有：

$3+2+1 = 6$.

所以共有长方形：

$(5+4+3+2+1) \times (3+2+1) = 15 \times 6 = 90$（个）.

二、数正方形

【例3】 数一数下页各个图中所有正方形的个数.（每个小方格为边长为 1 的正方形）

分析　图 I 中，边长为 1 个长度单位的正方形有：

$2 \times 2 = 4$（个），边长为 2 个长度单位的正方形有：

$1 \times 1 = 1$（个）．

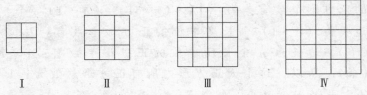

I　　　　II　　　　III　　　　IV

所以，正方形总数为 $1 \times 1 + 2 \times 2 = 1 + 4 = 5$（个）．

图 II 中，边长为 1 个长度单位的正方形有 $3 \times 3 = 9$（个）；

边长为 2 个长度单位的正方形有：$2 \times 2 = 4$（个）；

边长为 3 个长度单位的正方形有 $1 \times 1 = 1$（个）．

所以，正方形的总数为：$1 \times 1 + 2 \times 2 + 3 \times 3 = 14$（个）．

图 III 中，边长为 1 个长度单位的正方形有：

$4 \times 4 = 16$（个）；

边长为 2 个长度单位的正方形有：$3 \times 3 = 9$（个）；

边长为 3 个长度单位的正方形有：$2 \times 2 = 4$（个）；

边长为 4 个长度单位的正方形有：$1 \times 1 = 1$（个）；

所以，正方形的总数为：

$1 \times 1 + 2 \times 2 + 3 \times 3 + 4 \times 4 = 30$（个）．

图 IV 中，边长为 1 个长度单位的正方形有：

$5 \times 5 = 25$（个）；

边长为 2 个长度单位的正方形有：$4 \times 4 = 16$（个）；

边长为 3 个长度单位的正方形有：$3 \times 3 = 9$（个）；

边长为 4 个长度单位的正方形有：$2 \times 2 = 4$（个）；

边长为 5 个长度单位的正方形有：$1 \times 1 = 1$（个）．

所有正方形个数为：

$1 \times 1 + 2 \times 2 + 3 \times 3 + 4 \times 4 + 5 \times 5 = 55$（个）．

小结：一般地，如果类似图 Ⅳ 中，一个大正方形的边长是 n 个长度单位，那么其中边长为 1 个长度单位的正方形个数有：$n \times n = n^2$（个），边长为 2 个长度单位的正方形个数有：$(n-1) \times (n-1) = (n-1)^2$（个）…；边长为 $(n-1)$ 个长度单位的正方形个数有：$2 \times 2 = 2^2$（个），边长为 n 个长度单位的正方形个数有：$1 \times 1 = 1$（个）．所以，这个大正方形内所有正方形总数为：$1^2 + 2^2 + 3^2 + \cdots + n^2$（个）．

【例 4】 如右图，数一数图中有多少个正方形（其中每个小方格都是边长为 1 个长度单位的正方形）．

分析 为叙述方便，我们规定最小正方形的边长为 1 个长度单位，又称为基本线段，图中共有五类正方形．

① 以一条基本线段为边的正方形个数共有：
$$6 \times 5 = 30 （个）．$$

② 以二条基本线段为边的正方形个数共有：
$$5 \times 4 = 20 （个）．$$

③ 以三条基本线段为边的正方形个数共有：
$$4 \times 3 = 12 （个）．$$

④ 以四条基本线段为边的正方形个数共有：
$$3 \times 2 = 6 （个）．$$

⑤ 以五条基本线段为边的正方形个数共有：
$$2 \times 1 = 2 （个）．$$

所以，正方形总数为：
$$6 \times 5 + 5 \times 4 + 4 \times 3 + 3 \times 2 + 2 \times 1$$
$$= 30 + 20 + 12 + 6 + 2 = 70 （个）．$$

小结：一般情况下，若一长方形的长被分成 m 等份，宽被分成 n 等份，（长和宽上的每一份是相等的）那么正方形的总数为（$n < m$）：$mn + (m-1)(n-1) + (m-2)(n-2) + \cdots + (m-n+1) \cdot 1$

显然例 4 是结论的特殊情况.

【例 5】 如下图，平面上有 16 个点，每个点上都钉上钉子，形成 4×4 的正方形钉阵，现有许多皮筋，问能套出多少个正方形.

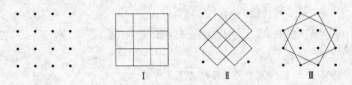

分析 这个问题与前面数正方形的个数是不同的，因为正方形的边不是先画好的，而是要我们去确定的，所以如何确定正方形的边长及顶点，这是我们首先要思考的问题. 很明显，我们能围成上图Ⅰ那样正向正方形 14 个，除此之外我们还能围出图Ⅱ那样斜向正方形 4 个，图Ⅲ那样斜向正方形 2 个. 但我们不可能再围出比它们更小或更大的斜向正方形，所以斜向正方形一共有 $4 + 2 = 6$ 个，总共可以围出正方形有：$14 + 6 = 20$（个）.

我们把上述结果列表分析可知，对于 $n \times n$ 个顶点，

顶点个数	2×2	3×3	4×4	5×5
正向正方形个数	1	5	14	30
斜向正方形个数	0	1	6	20
正方形总数	1	6	20	50

可作出斜向正方形的个数恰好等于 $(n-1) \times (n-1)$ 个顶点时的所有正方形的总数.

三、数三角形

【例6】 如右图，数一数图中三角形的个数.

分析 这样的图形只能分类数，可以采用类似数正方形的方法，从边长为一条基本线段的最小三角形开始.

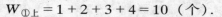

Ⅰ. 以一条基本线段为边的三角形：

① 尖朝上的三角形共有四层，它们的总数为：

$$W_{①上} = 1 + 2 + 3 + 4 = 10 \text{（个）}.$$

② 尖朝下的三角形共有三层，它们的总数为：

$$W_{①下} = 1 + 2 + 3 = 6 \text{（个）}.$$

Ⅱ. 以两条基本线段为边的三角形：

① 尖朝上的三角形共有三层，它们的总数为：

$$W_{②上} = 1 + 2 + 3 = 6 \text{（个）}.$$

② 尖朝下的三角形只有一个，记为 $W_{②下} = 1$（个）.

Ⅲ. 以三条基本线段为边的三角形：

① 尖朝上的三角形共有二层，它们的总数为：

$$W_{③上} = 1 + 2 = 3 \text{（个）}.$$

② 尖朝下的三角形零个，记为 $W_{③下} = 0$（个）.

Ⅳ. 以四条基本线段为边的三角形，只有一个，记为：$W_{④上} = 1$（个）.

所以三角形的总数是 $10 + 6 + 6 + 1 + 3 + 1 = 27$（个）.

我们还可以按另一种分类情况计算三角形的个数，即按尖朝上与尖朝下的三角形的两种分类情况计算三角形个数.

　　Ⅰ. 尖朝上的三角形共有四种：

$W_{①上} = 1 + 2 + 3 + 4 = 10$

$W_{②上} = 1 + 2 + 3 = 6$

$W_{③上} = 1 + 2 = 3$

$W_{④上} = 1$

　　所以尖朝上的三角形共有：$10 + 6 + 3 + 1 = 20$（个）.

　　Ⅱ. 尖朝下的三角形共有二种：

$W_{①下} = 1 + 2 + 3 = 6$

$W_{②下} = 1$

$W_{③下} = 0$

$W_{④下} = 0$

　　则尖朝下的三角形共有：$6 + 1 + 0 + 0 = 7$（个）

　　所以，尖朝上与尖朝下的三角形一共有：

$20 + 7 = 27$（个）.

　　小结：尖朝上的三角形共有四种. 每一种尖朝上的三角形个数都是由 1 开始的连续自然数的和，其中连续自然数最多的和中最大的加数就是三角形每边被分成的基本线段的条数，依次各个连续自然数的和都比上一次少一个最大的加数，直到 1 为止.

　　尖朝下的三角形的个数也是从 1 开始的连续自然数的和，它的第一个和恰是尖朝上的第二个和，依次各个和都比上一个和少最大的两个加数，以此类推直到零为止.

　　【例 7】　　如下页图数一数图中有多少个三角形.

　　解：参考例 6 所总结的规律把图中三角形分成尖朝上和尖朝下的两类：

Ⅰ. 尖朝上的三角形有五种：

（1）　$W_{①上} = 8 + 7 + 6 + 5 + 4 = 30$

（2）　$W_{②上} = 7 + 6 + 5 + 4 = 22$

（3）　$W_{③上} = 6 + 5 + 4 = 15$

（4）　$W_{④上} = 5 + 4 = 9$

（5）　$W_{⑤上} = 4$

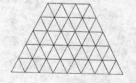

∴ 尖朝上的三角形共有：$30 + 22 + 15 + 9 + 4 = 80$（个）.

Ⅱ. 尖朝下的三角形有四种：

（1）　$W_{①下} = 3 + 4 + 5 + 6 + 7 = 25$

（2）　$W_{②下} = 2 + 3 + 4 + 5 = 14$

（3）　$W_{③下} = 1 + 2 + 3 = 6$

（4）　$W_{④下} = 1$

尖朝下的三角形共有 $25 + 14 + 6 + 1 = 46$（个）.

∴ 所以尖朝上与尖朝下的三角形总共有

$80 + 46 = 126$（个）.

四、数综合图形

前面我们已对较基本、简单的图形的数法作了较系统的研究，寻找到了一般规律. 而对于较复杂的图形即综合图形的数法，我们仍需遵循不重复、不遗漏的原则，采用能按规律数的，按规律数，能按分类数的就按分类数，或者两者结合起来就一定能把图形数清楚了.

【例7】　如下页图，数一数图中一共有多少个三角形.

分析　图中有若干个大小不同、形状各异但有规律的三角形. 因此适合分类来数. 首先要找出三角形的不同的种类？每种相同的三角形各有多少个？

解：根据图中三角形的形状和大小分为六类：

Ⅰ．与△ABE 相同的三角形共有 5 个；

Ⅱ．与△ABP 相同的三角形共有 10 个；

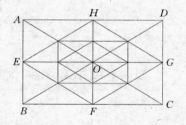

Ⅲ．与△ABF 相同的三角形共有 5 个；

Ⅳ．与△AFP 相同的三角形共有 5 个；

Ⅴ．与△ACD 相同的三角形共有 5 个；

Ⅵ．与△AGD 相同的三角形共有 5 个．

所以图中共有三角形为 5＋10＋5＋5＋5＋5＝35（个）．

【例 8】 如右图，数一数图中一共有多少个三角形？

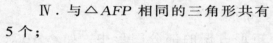

分析 这是个对称图形，我们可按如下三步顺序来数：

第一步：大矩形 ABCD 可分为四个相同的小矩形：AEOH、EBFO、OFCG、HOGD，每个小矩形内所包含的三角形个数是相同的．

第二步：每两个小矩形组合成的图形共有四个，如：ABFH、EBCG、HFCD、AEGD，每一个这样的图形中所包含的三角形个数是相同的．

第三步：每三个小矩形占据的部分图形共有四个，如△ABD、△ADC、△ABC、△DBC，每一个这样的图形中所包含的三角形个数是相同的．

最后把每一步中每个图形所包含三角形个数求出相加再乘以 4 就是整个图形中所包含的三角形的个数.

解：Ⅰ. 在小矩形 *AEOH* 中：

①由一个三角形构成的有 8 个.

②由两个三角形构成的三角形有 5 个.

③由三个或三个以上三角形构成的三角形有 5 个.

这样在一个小矩形内有 17 个三角形.

Ⅱ. 在由两个小矩形组合成的图形中，如矩形 *AEGD*，共有 5 个三角形.

Ⅲ. 由三个小矩形占据的部分图形中，如△*ABC*，共有 2 个三角形.

所以整个图形共有三角形个数是：

$(8+5+5+5+2) \times 4 = 25 \times 4 = 100$（个）.

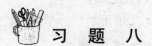

习 题 八

1. 下图中有多少个正方形？

2. 下图中有多少个长方形？

3. 下图中有多少个三角形？

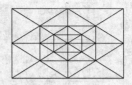

4．下图中有多少个长方形？

5．下图(1)、(2)中各有多少个三角形？

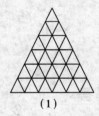　　　　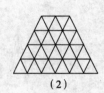

（1）　　　　　　　　（2）

6．下图中有多少个三角形？

7．下图中有多少个三角形？

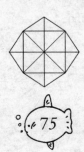

8．下图中有多少个正方形？

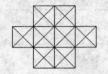

9．下图中有多少个长方体？

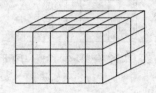

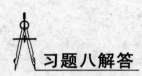 习题八解答

1．共有正方形 54 个.

2．共有长方形 136 个.

3．共有三角形 128 个.

4．共有长方形 133 个.

5．(1)共有三角形 78 个.

　　(2)共有三角形 58 个.

6．共有三角形 45 个.

7．共有三角形 36 个.

8．共有正方形 24 个.

9．共有长方体 540 个.

第9讲　图形的剪拼（一）

把一个几何图形剪成几块形状相同的图形，或是把一个几何图形剪开后拼成另一种满足某种条件的图形. 完成这样的图形剪拼，需要考虑图形剪开后各部分的形状、大小以及它们之间的位置关系.

【例1】　如右图所示是由三个正方形组成的图形，请把它分成大小、形状都相同的四个图形？

(1)

分析　如果我们不考虑分成的四个图形的形状，只考虑它的面积，就要求把原来三个正方形分成四个面积相等的部分. 每部分面积应是正方形面积的 $\frac{3}{4}$. 再把三个 $\frac{1}{4}$ 个正方形合成一个与 $\frac{3}{4}$ 个正方形形状相同的图形，于是我们就有了如图（2）的分法.

(2)

仿照例1的分法我们把如右图这样由五个正方形组成的图形，分成四块大小、形状都相同的图形. 若从面积考虑. 每一块的面积应是 $1\frac{1}{4}$ 个正方形，则可把每个正方形分成四个面积相等的小正方形，每块图形应有五个这样的小正方形，如右图所示.

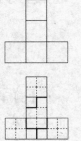

【例2】　把一个等边三角形分别分成8

块和 9 块形状、大小都一样的三角形.

分析 分成 8 块的方法是：先取各边的中点并把它们连接起来，得到 4 个大小、形状相同的三角形，然后再把每一个三角形分成一半，得到如下左图所示的图形.

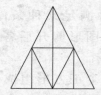

分成 9 块的方法是：先把每边三等分，然后再把分点彼此连接起来，得到如上右图所示的符合条件的图形.

【例 3】 长方形的长和宽各是 9 厘米和 4 厘米，要把它剪成大小、形状都相同的两块，并使它们拼成一个正方形.

分析 已知长方形面积 $9 \times 4 = 36$（平方厘米），所以正方形的边长应为 6 厘米，因此可以把长方形上半部剪下 6 厘米，下半部剪下 3 厘米，分成相等的两块，合起来正好拼成一个边长为 6 厘米的正方形，如下右图.

【例 4】 把一个正方形分成 8 块，再把它们拼成一个正方形和一个长方形，使这个正方形和长方形的面积相等.

分析 连接正方形的对角线，把正方形分成了 4 个相等的等腰直角三角形，再连接各腰中点，又把它们分成 4 个小等腰直角三角形和 4 个等腰梯形．（如下图（1）所示）

出于分成正方形、长方形面积相等的要求考虑：分别取出两个小等腰直角三角形和两个梯形，就能一一拼出所要求的正方形和长方形了（如图（2）、（3）所示）．

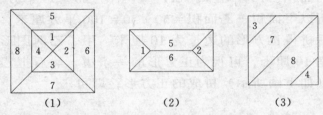

(1)   (2)   (3)

除这种方法外，还有多种拼接方法．

【例 5】 在下左图中画 5 条线，把小圆圈分开，并使每块大小、形状都相等．

分析 因为图中有 8 个小圆圈，画 5 条线把图形应分成 8 块，根据小圆圈的分布特点，分法如下图（右）所示．

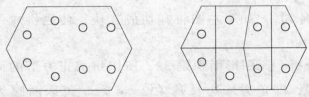

【例 6】 把下图中两个图形中的某一个分成三块，最后都拼在一起，使它们成为一个正方形．

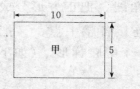
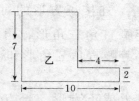

分析 不管分其中的哪一块，最后拼得正方形的面积与图中两块面积和相等，甲面积 $= 10 \times 5 = 50$ 平方厘米；

乙面积 $= 10 \times 7 - (7 - 2) \times 4 = 70 - 20 = 50$ 平方厘米.

所以甲面积 + 乙面积 $= 50 + 50 = 100$ 平方厘米，也就是最后拼得正方形的边长为 10 厘米. 甲、乙两图形各有一边是 10 厘米，可视为正方形的一条边，然后把乙剪成三块（如下图所示）拼成的正方形，即可.

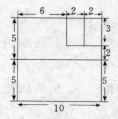
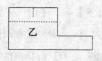

当然，除这种拼凑的方法之外，还有其他多种方法，同学们可自行构思、设计.

【例7】 如下左图将其切成 3 块，使之拼成一个正方形.

分析 原图形面积是 32，所以拼成正方形的面积也应是 32，即正方形边长是 $\sqrt{32} = 4\sqrt{2}$，可取两腰为 4 的等腰直角三角形的斜边为正方形边长，如下右图所示，切成甲、乙、丙 3 块，甲拼到甲′位置，乙拼到乙′位置，这样甲′、乙′、丙便构成一个正方形.

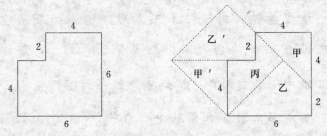

【例8】　如下左图所示，这是一张十字形纸片，它是由五个全等正方形组成，试沿一直线将它剪成两片，然后再沿另一直线将其中一片剪成两片，使得最后得到的三片拼成两个并列的正方形.

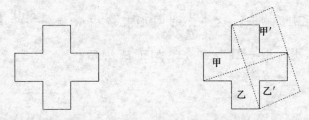

分析　实际拼成两个并列的正方形就是一个长方形，其长是宽的 2 倍，设十字形面积是 5 个平方单位，长方形的长为 x 长度单位，宽为 $\frac{x}{2}$ 长度单位，那么有 $x \cdot \frac{x}{2} = 5$，$x^2 = 10$，即 $x^2 = 3^2 + 1^1$，由勾股定理可知：所求长方形的长可视为一直角三角形直角边分别是 3 和 1 的斜边. 它恰是两个对角顶点的连线. 剪拼方法如下图右所示，甲拼在甲′位置，乙拼在乙′位置，就可得符合题意的图形.

本题小结：假若沿第二条线把另一片也剪成两片，那么共剪成的 4 片是 4 个全等多边形，这时两条直线都经过十字形的中心，并且互相垂直. 剪开的这 4 个图形其中一个绕中心旋转 90°也和另一个重合．由此我们便得到一个重要结论：对于一个正方形来讲，如果从中心沿 $\frac{360°}{4}=90°$ 角的两边切开，得到整个图形的 $\frac{1}{4}$，这个 $\frac{1}{4}$ 的图形若绕中心旋转 90°一定和另外的 $\frac{1}{4}$ 的图形重合．对于一个正三角形来讲，如果从中心沿 $\frac{360°}{3}=120°$ 角的两边切开，得到整个图形的 $\frac{1}{3}$，这个 $\frac{1}{3}$ 的图形若绕中心旋转 120°一定也和另外的 $\frac{1}{3}$ 的图形重合．一般情况：对于一个正 n 边形，如果从它的中心沿 $\frac{360°}{n}$ 的角的两边剪开，得到整个图形的 $\frac{1}{n}$，这个 $\frac{1}{n}$ 的图形若绕中心旋转 $\frac{360°}{n}$ 角，一定也和另一个 $\frac{1}{n}$ 图形重合．如下图所示．

【例9】 把如下图（1）所示的图形切成两块，然后拼成一个正方形．

分析 原图形面积为 16（平方单位），所以拼成的正方形面积也应为 16（平方单位），边长为 4（长度单位）．切开后，须将右片向左平移 2 个单位，然后再向上平移 1 个单位．（如下图（2）所示）恰拼成一个正方形．

【例10】 如右图两个正方形的边长分别是 a 和 b（$a > b$），将边长为 a 的正方形切成四块大小、形状都相

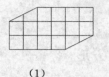

（1）

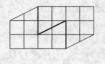

（2）

同的图形，与另一个正方形拼在
一起组成一个正方形.

分析　拼成大正方形的面积
应是 $a^2 + b^2$，设边长 c，则有等式
$c^2 = a^2 + b^2$，又因为将边长为 a 的正方形切成四个全等
形，那么分割线一定经过正方形中心，假设切割线 MN
为大正方形边长，如下图（1），一定有 $MN^2 = a^2 + b^2$，
而 $MH = a$，则：$NH = b$. 所以 $AN = CM = BH = \frac{1}{2}(a$
$- b)$. 由此可以确定 MN，然后将 MN 绕中心 O 旋转 $90°$
到 EF 位置，即可把正方形切成符合要求的 4 块. 如下
图（2）及下图（3）. 这种分法同时确保图（3）的中间
部分就是边长为 b 的小正方形. 这是因为：

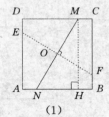

（1）

（2）

（3）

① 中心四边形的角即边长为 a 的正方形的四个角，
$\angle A$，$\angle B$，$\angle C$，$\angle D$，又因为各边长度相等. 因此中
心四边形是正方形.

② 中心正方形的边长 = $\left[a - \frac{1}{2}(a-b) \right] - \frac{1}{2}(a-b)$

$$= a - (a-b) = b.$$

因此，中间部分是边长为 b 的正方形.

习 题 九

1. 如右图，将一个底角为 60°，上底和腰相等的等腰梯形切割成 4 块大小、形状都相同的图形.

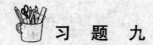

2. 如右图，方框外面边长为 5，里面边长为 3，把方框锯成 4 块，拼成一个正方形，问怎样拼法？

3. 如右图，分别将两图形，分成 8 个大小、形状相同，面积相等的图形.

4. 如右图，把它锯成 3 块再拼成一个正方形.

5. 把一个正方形分成 20 个大小形状完全一样的三角形.

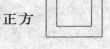

6. 长方形长 24 厘米，宽 15 厘米. 把它剪成两块，使它们拼成一个长 20 厘米，宽 18 厘米的长方形.

7. 将下列各图均切成三块，每三块拼成一个正方形.

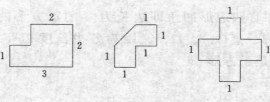

习题九解答

1.

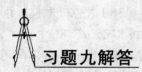

2.

面积为16（平方单位）.

3.

4.

5.

6. 长方形面积＝24×15＝360 平方厘米，拼成的长方形面积＝20×18＝360平方厘米，面积相等，只是长、宽不等，但它们都可以分成30个4×3的小长方形，拼成的长方形的一半应有15个4×3的小长方形，即5＋4＋3＋2＋1＝15．所以才有如下的剪切方法：

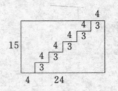

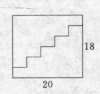

7.

第10讲 图形的剪拼（二）

类似棋盘图形的剪拼问题更需要我们认真的思考、周密的分析，虽然有的问题难度较大，但通过我们的探索，还是能寻找到规律性的.

【例1】 如右图所示，请将这个正方形分切成两块，使得两块的形状、大小都相同，并且每一块都含有 A、B、C、D、E 五个字母.

分析 图中有相同字母挨在一起的情况，肯定要从它们之间切开，因此，首先要在它们之间划出切分线. 因为要将这个正方形切开成两块形状和大小都一样的图形，所以其中一块绕中心点旋转 $180°$ 必定与另一块重合. 要是把切分线也绕中心点旋转 $180°$ 就可得到一些新的切分线. 这就为我们解决问题提供了线索，本题的两种解法如下图所示.

【例2】 如右图所示. 请将这个正方形切成四块，使得它们彼此之间的形状和大小都相同，而且每块当中都含有 A、B、C、D 四个字母.

分析 先将图中两个相同字母挨在一起的之间划出切分线. 因为要把正方形切成形状大小完全相同的四块, 其中一块绕中心点旋转 90°、180°、270°之后必定分别和另外三

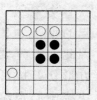

块重合. 那么画出的切分线在绕中心旋转 90°、180°、270°之后得到一些新的切分线, 从而为我们解决问题提供了线索. 同时我们知道: 所分成的四块面

积每一块都应是正方形面积的 $\frac{1}{4}$, 即一块里都应包含有四个小正方形. 本题解答如右图所示.

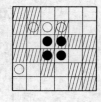

【例3】 如右图所示的正方形是由 36 个小正方格组成的. 如图那样放着 4 颗黑子, 4 颗白子, 现在要把它切割成形状、大小都相同的四块, 并使每一块中都有一颗黑子和一颗白子. 试问如何切割?

分析 首先在相同颜色的棋子之间划出切分线, 以中心旋转 90°、180°、270°之后, 得一些新的切分线, 同时考虑到每块包含有一颗黑子和一颗白子

的要求. 以及每块面积是正方形面积的 $\frac{1}{4}$, 即含有 9 个小正方格. 找到了符合要求的其中一块之后, 让它绕中心旋转 90°、180°、270°便得到其他三块, 如右图.

【例4】 如下页图, 甲、乙是两个大小一样的正方形. 要求把每一个正方形分成四块, 两个正方形共分为八块, 使每块的大小和形状都相同, 而且都带一个〇.

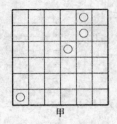

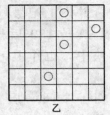

甲　　　　　　　　　　　　乙

分析　一个正方形分成大小和形状都相同的四块，一定是从中心点分开的，只要能找出其中符合题目要求的一块，然后再将这块绕着正方形的中心点分别旋转90°、180°、270°就可以得到另外三块．又因为这个正方形面积为 36 平方单位，所以分成的每一块的面积都是 9 平方单位．即每一块都由 9 个小正方格组成．另外，由于两个正方形要切分成一样大小的四块，因此可将两个正方形重叠在一起考虑．

解：① 将两个正方形重叠在一起，如右图所示，为便于区别，将其中一组的"○"改写成"×"．按要求将这重叠的正方形切分成大小、形状都相同的四块，并且每块都有一个"○"和"×"．

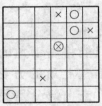

② 图中有相同符号的"○"挨在一起的从中间把它们切开，在它们中间划上截线．并将这些截线绕中心点旋转90°、180°、270°得到另外三段截线．如右图．利用它们设想出划分线．

③ 设想分块从中心位置开始，逐步向外扩散，在里层方格中，先指定某一方格已分入到某小

块中，并作上记号（斜线阴影），然后将它绕中心旋转$180°$后得到另一方格分入到另一小块中，也作上记号（横线阴影），如右图.

对于中间一层方格和最外一层方格，设想分块时一定要紧扣条件：每一块中都要有一个"○"和一个"×"．每一块都有 9 个方格组成，不能断开．下图是分解了的分块过程示意图.

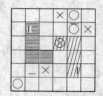

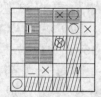

④ 注意到斜线阴影部分已经有了一个"○"和一个"×"．那么左下角包含"○"的方格就不能再分到斜线阴影部分去了，而只能将右下角的方格分到斜线阴影部分．于是左上角的方格就应该分给横线阴影部分．空白部分是另外两块．右图就是最后分得的结果.

【例 5】 如右图所示，请将这个正方形分成大小和形状都一样的四块，并且使每一块都有 A、B、C、D 四个字母.

分析 这个正方形的面积是 8×8 = 64（平方单位），切开后每一小块应是 16 平方单位（即由 16 个小方格组成），由于要求分成的四块形状、大小都相同，必定是由中心点分开的．而且其中一块若绕中心点旋转 90°、180°、270°后必定和其他三块重合.

解：① 将两个相同字母并列在一起的中间划出切分线，并将它们分别绕中心点旋转 90°、180°、270°，得到相应的另三段切分线. 如下左图所示.

② 从最里层开始，沿着画出的切分线作设想分块，注意到题目的要求，找到满足要求题目的一块，如下右图中阴影部分.

③ 将上面的阴影部分绕中心点旋转 180°，可以得到符合条件的另一块，这样两块空白部分也符合条件，最后划分的结果如右图所示.

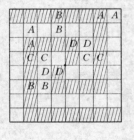

【例 6】 如下图长方形的长、宽分别为 120 厘米、90 厘米，正中央开有小长方形孔，长为 80 厘米，宽为 10 厘米，要拼成面积为 100 平方厘米的正方形. 问如何切分，能使划分的块数最少.

分析 切分前面积为 $120 \times 90 - 80 \times 10 = 10000$（平方厘米）应与拼成后的正方形面积相等. 拼成后正方形的边长 $x = 100$ 厘米. 因为：$100 = 120 - 20 = 90 + 10$. 假

91

设上页图切成两块如下左图，然后将右块向上平移10厘米，再向左平移20厘米，就拼成了一个正方形，切分线不可能是直线，一定是折线段．切分后的两块类似阶梯形，然后由两个阶梯互相啮合，组成一个正方形，如下右图．

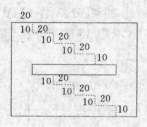 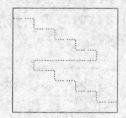

习　题　十

1．把右图划分成形状、大小完全相同的 4 块，而且每块中有一个字母．

2．将下图中的各图分别切成大小、形状相同的三块，使每块都带有一个小圆圈"〇"．

3．将右图分成 4 块，使它们的形状、大小都相同并且每块内都有一个小圆圈"〇"．

4．如下图有两个正方形，请把每一个正方形分成两块，两个正方形共四块，使这四块的形状、大小都相同，并且每一块中都有 A、B、C、D 四个字母．

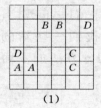 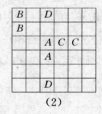

　　(1)　　　　　　　　(2)

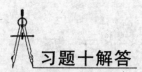

习题十解答

1.

2.

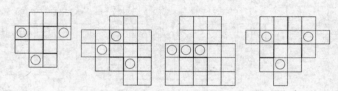

3.

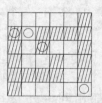

4．提示：把两个正方形重叠在一起考虑，为便于区别．将第（1）组 A、B、C、D 改写成 a、b、c、d，为使相同字母不在同一块中，先在它们之间划上切分线，然后绕中心点旋转 $180°$，又可以找到一些新的切分线，就可以逐步确定各块的划分线，切分方法如下面系列图．

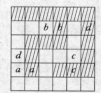

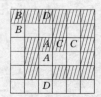

第11讲 格点与面积

请看下图，这是两个画在方格纸中的多边形，图（a）的多边形的所有顶点都在方格纸上的横、纵两组平行线垂直相交的交点上．图（b）中的多边形的顶点至少有一个顶点不在方格纸上那些横、纵两组平行线垂直相交的交点上．（比如 A 点）像图（a）这样的多边形，我们称它为格点多边形．什么是格点？平常我们用的方格纸的方格（每个小方格都是一个小正方形）都是由横、纵两组平行线垂直相交构成的，其中相邻两条平行线的距离都是相等的（通常规定是 1 个单位），在这样的方格纸上，横、纵两组平行线垂直相交的交点称为格点．以格点为顶点画出的多边形称为格点多边形．像图（b）这样的多边形虽然除 A 点之外所有顶点都是格点，但我们还不能把它称为格点多边形．

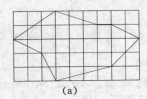
(a)

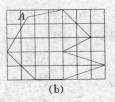
(b)

显然易见，格点多边形面积的大小，与格点数目（包括边界上的）的多少有着密切的关系．一般看来，格点多边形的面积越大（小），它所包含格点数目（包括边界上的）就越多（少）．是否存在这两者之间关系的精确的计算公式？通过它只计数格点数目（包括边界上的）的多少就能准确地计算出格点多边形面积的大小？下面让我们共同探索这个规律.

【例1】 如下图，计算下列各个格点多边形的面积.

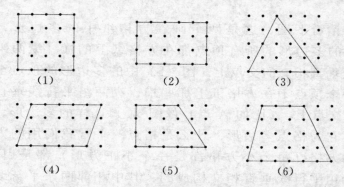

（1）　　　　　　（2）　　　　　　（3）

（4）　　　　　　（5）　　　　　　（6）

分析 本题所给的图形都是规则图形，它们的面积运用公式直接可求，只要判断出相应的有关数据就行了.

解：第（1）图是正方形，边长是 4，所以面积是 $4 \times 4 = 16$（面积单位）.

第（2）图是矩形，长是 5，宽是 3，所以面积是 $5 \times 3 = 15$（面积单位）.

第（3）图是三角形，底是 5，高是 4，所以面积是 $5 \times 4 \div 2 = 10$（面积单位）.

第（4）图是平行四边形，底是 5，高是 3，所以面积是 $5 \times 3 = 15$（面积单位）.

第（5）图是直角梯形，上底是 3，下底是 5，高是 3，所以面积是 $(3 + 5) \times 3 \div 2 = 12$（面积单位）.

第（6）图是梯形，上底是 3，下底是 6，高是 4，所以面积是 $(3 + 6) \times 4 \div 2 = 18$（面积单位）.

【例2】　如下图（a），计算这个格点多边形的面积.

分析　这是个三角形，虽然有三角形面积公式可用，但判断它的底和高却十分困难，只能另想别的办法：这个三角形是处在长是 6、宽是 4 的矩形内，除此之外还有其他三个直角三角形，如下图（b），这三个直角三角形面积很容易求出，再用矩形面积减去这三个直角三角形面积，就是所要求的三角形面积.

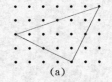
（a）

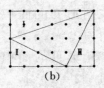
（b）

解：矩形面积是 $6 \times 4 = 24$.

直角三角形Ⅰ的面积是：

$6 \times 2 \div 2 = 6$.

直角三角形Ⅱ的面积是：$4 \times 2 \div 2 = 4$.

直角三角形Ⅲ的面积是：$4 \times 2 \div 2 = 4$.

所求三角形的面积是：

$24 - (6 + 4 + 4) = 10$ （面积单位）.

【例3】　如右图，计算这个格点多边形的面积.

分析　这是个不规则的多边形，可以仿照例2的方法，用矩形面积减去四个直角三角形的面积，如下页图（a）所示. 另一种方法可以把所求的四边形分割成几块，只要所分成的每个图形的面积好求，那么整个四边形的面积就能求了，如图（b）所示.

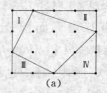

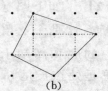

(a)　　　　　　　　　(b)

解法 1：矩形面积是 $4 \times 3 = 12$.

直角三角形 Ⅰ 的面积是：

$2 \times 1 \div 2 = 1$.

直角三角形 Ⅱ 的面积是：

$3 \times 1 \div 2 = 1.5$.

直角三角形 Ⅲ 的面积是：

$2 \times 1 \div 2 = 1$.

直角三角形 Ⅳ 的面积是：

$2 \times 2 \div 2 = 2$.

所以，所求四边形的面积是

$12 - (1 + 1.5 + 1 + 2) = 12 - 5.5 = 6.5$（面积单位）.

解法 2：根据图（b）所示切割的情况，四边形被切成上、下、左、右四个三角形和中间一个矩形，它们的面积分别是：$3 \times 1 \div 2 = 1.5$;　$3 \times 1 \div 2 = 1.5$;

$2 \times 1 \div 2 = 1$;　$1 \times 1 \div 2 = 0.5$;　$2 \times 1 = 2$.

所以整个四边形的面积是：

$1.5 + 1.5 + 1 + 0.5 + 2 = 6.5$（面积单位）.

从解法 2 可以看到，把一个图形切割的方法虽然各有不同，但要遵循的原则是：切割的块数越少越好，而且每块面积都易于求出.

为探寻图形面积与格点数目的关系，特研究下面例4.

【例 4】　如下页图，计算图（A）与图（B）的面积.

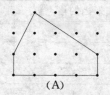 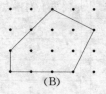

（A）　　　　　　　　　（B）

解：用切割方法（如下图所示）.

图（A）面积为：$4 \times 1 + 4 \times 2 \div 2 = 8$（面积单位）.

图（B）面积为：$3 \times 1 \div 2 + 2 \times 2 + (1 + 2) \times 2 \div 2 + 2 \times 1 \div 2 = 8$（面积单位）.

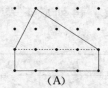 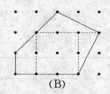

（A）　　　　　　　　　（B）

说明：从计算上我们看到图 A 与图 B 面积相等. 除此之外，它们还有另两个共同特点：一是图 A 与图 B 周界上的格点数相等，都是 8 个. 二是它们所包含在图形内的格点数也相等，都是 5 个. 这个结论给了我们一个启发：难道两个图形如果周界上的格点数相同. 图形内所包含的格点数也相同，就一定能断定这两个图形面积相等吗？为此让我们做进一步的探索.

【例 5】　　如下图，计算下列各格点多边形的面积，统计每个图形周界上的格点数与图形内包含的格点数.

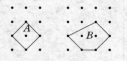

解：列表如下：

图　形	周界上的格点数	图形内的格点数	面积
A	4	1	2
B	5	2	3.5
C	6	3	5
D	7	4	6.5
E	8	5	8

　　我们对表内数据分析发现：任何一个格点多边形的面积都等于周界上的格点数除以 2 减 1 再加上图形内包含的格点数．如果用 S 表示面积，用 N 表示图形内的格点数，用 L 表示周界上的格点数，再列成下表，它们之间的关系就更清楚了．

图　形	S	N	L	$S-N$	$L/2$	$L/2-(S-N)$
A	2	1	4	1	2	1
B	3.5	2	5	1.5	2.5	1
C	5	3	6	2	3	1
D	6.5	4	7	2.5	3.5	1
E	8	5	8	3	4	1

　　这就是说：图形内的格点数与它周界上的格点数的一半的和 $(N+L/2)$ 与它的面积 S 的差永远恰好是 1．

【例 6】　　如下图，将图中有关数据填入下表：

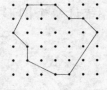

S	N	L	$S-N$	$L/2$	$L/2-(S-N)$
19.5	15	11	4.5	5.5	1

S	N	L	$S-N$	$L/2$	$L/2-(S-N)$

以后，在我们求格点多边形面积时，可以直接应用公式：

$S = N + L/2 - 1$

这个公式表示：格点多边形的面积等于图形内的格点数加上周界上的格点数的一半减 1.

上述这个计算格点多边形的面积公式，是通过几个实例分析，归纳出来的，作为数学公式还须进行严格的证明. 但限于同学们的知识水平，这个证明不在此进行了.

【例 7】　本讲开始提到的多边形如右图面积是多少？用上述公式很快就可以求出了.

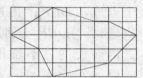

解：图形内部格点数 $N = 21$.

图形周界上的格点数 $L = 9$.

图形面积 $S = N + L/2 - 1$

$$= 21 + \frac{9}{2} - 1$$

$$= 21 + 4.5 - 1$$

$$= 24.5 （面积单位）.$$

以上我们所研究的格点多边形都是属于正方形格点问题. 也就是它的格点都是由两组互相垂直相交的平行线的交点构成的. 每一个小方格都是一个小正方形. 下面我们进行另外一种格点多边形的研究，即三角形格点问题.

所谓三角形格点多边形是指：每相邻三点成"∵"或"∴"，所形成的三角形都是等边三角形. 规定它的面积为 1，以这样的点为顶点画出的多边形为三角形格点多边形.

【例 8】　如下页图（a），有 21 个点，每相邻三个点成"∴"或"∵"，所形成的三角形都是等边三角形. 计

算三角形 ABC 的面积.

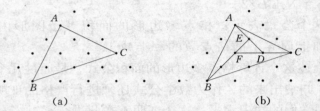

$\qquad$(a)$\qquad\qquad\qquad\qquad$(b)

　　解法 1：如图（b）所示，在△ABC 内连接相邻的三个点成△DEF，再连接 DC、EA、FB 后是△ABC 可看成是由△DEF 分别延长 FD、DE、EF 边一倍、一倍、二倍而成的，不难得到 $S_{\triangle ACD}=2$，$S_{\triangle AEB}=3$，$S_{\triangle FBC}=4$，所以 $S_{\triangle}=1+2+3+4=10$（面积单位）.

　　解法 2：如下图（c）所示，作辅助线把图 Ⅰ′、Ⅱ′、Ⅲ′ 分别移拼到 Ⅰ、Ⅱ、Ⅲ 的位置，这样可以通过数小正三角形的方法，求出△ABC 的面积为 10.

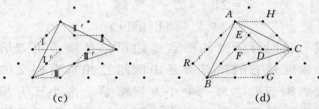

$\qquad$(c)$\qquad\qquad\qquad\qquad$(d)

　　解法 3：如上图（d）所示：作辅助线可知：平行四边形 $ARBE$ 中有 6 个小正三角形，而△ABE 的面积是平行四边形 $ARBE$ 面积的一半，即 $S_{\triangle ABE}=3$，平行四边形 $ADCH$ 中有 4 个小正三角形，而△ADC 的面积是平行四边形 $ADCH$ 面积的一半，即 $S_{\triangle ADC}=2$．平行四边形 $FBGC$ 中有 8 个小正三角形，而△FBC 的面积是平行四边形 $FBGC$ 的一半，即：

$S_{\triangle FBC}=4$.

所以三角形 ABC 的面积是

$1 + 2 + 3 + 4 = 10$ （面积单位）.

关于三角形格点多边形的面积同样有它的计算公式：如果用 S 表示面积，N 表示图形内包含的格点数，L 表示图形周界上的格点数，那么：$S = 2 \times N + L - 2$，就是格点多边形面积等于图形内部所包含格点数的 2 倍与周界上格点数的和减去 2. 例如例 8 中，$N = 4$，$L = 4$；所以 $S = 2 \times N + L - 2 = 2 \times 4 + 4 - 2 = 10$ （面积单位）.

【例 9】　如右图，每相邻三个点所形成的三角形都是面积为 1 的等边三角形，计算 $\triangle ABC$ 的面积.

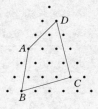

解：因为 $N = 5$；$L = 3$：

所以 $S = 2 \times N + L - 2$

$\qquad = 2 \times 5 + 3 - 2$

$\qquad = 11$ （面积单位）.

【例 10】　如右图，每相邻三个点所形成的三角形都是面积为 1 的正三角形，计算四边形 $ABCD$ 的面积.

解：因为 $N = 9$；$L = 4$；

所以 $S = 2 \times N + L - 2$

$\qquad = 2 \times 9 + 4 - 2$

$\qquad = 20$ （面积单位）.

习 题 十 一

1. 求下列各个格点多边形的面积.

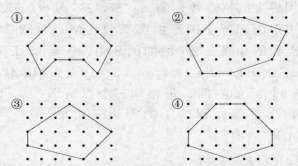

2. 求下列格点多边形的面积（每相邻三个点"∵"或"∴"成面积为 1 的等边三角形）.

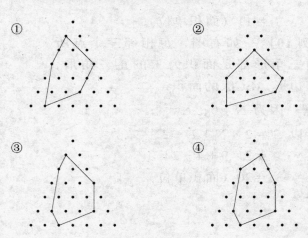

习题十一解答

1.

① ∵　$L = 12$；$N = 10$，

∴　$S = N + L/2 - 1 = 10 + 6 - 1 = 15$（面积单位）.

② ∵　$L = 10$；$N = 16$，

∴　$S = N + L/2 - 1 = 16 + 5 - 1 = 20$（面积单位）.

③ ∵　$L = 6$，$N = 12$，

∴　$S = N + L/2 - 1 = 12 + 3 - 1 = 14$（面积单位）.

④ ∵　$L = 10$；$N = 13$，

∴　$S = N + L/2 - 1 = 13 + 5 - 1 = 17$（面积单位）.

2.

① ∵　$L = 7$；$N = 7$，

∴　$S = 2 \times N + L - 2 = 2 \times 7 + 7 - 2 = 19$（面积单位）.

② ∵　$L = 5$；$N = 8$，

∴　$S = 2 \times N + L - 2 = 2 \times 8 + 5 - 2 = 19$（面积单位）.

③ ∵　$L = 6$；$N = 8$，

∴　$S = 2 \times N + L - 2 = 2 \times 8 + 6 - 2 = 20$（面积单位）.

④ ∵　$L = 7$；$N = 8$；

∴　$S = 2 \times N + L - 2 = 2 \times 8 + 7 - 2 = 21$（面积单位）.

第*12*讲 数阵图

把一些数字按照一定的要求，排成各种各样的图形，这类问题叫数阵图．数阵是一种由幻方演变而来的数字图．数阵图的种类繁多，这里只向大家介绍三种数阵图，即封闭型数阵图、辐射型数阵图和复合型数阵图．

为了让同学们学会解数阵图的分析思考方法，我们举例说明．

【例1】   将 $1 \sim 8$ 这八个自然数分别填入下图中的八个○内，使四边形每条边上的三个数之和都等于 14，且数字 1 出现在四边形的一个顶点上．应如何填？

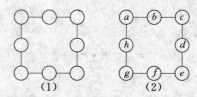

(1)   (2)

分析   为了叙述方便，先在各圆圈内填上字母，如上图（2）．

由条件得出以下四个算式：

$$a + b + c = 14 \tag{1}$$
$$c + d + e = 14 \tag{2}$$
$$e + f + g = 14 \tag{3}$$
$$a + h + g = 14 \tag{4}$$

由(1)＋(3)，得：

$a + b + c + e + f + g = 28$,

$(a + b + c + d + e + f + g + h) - (d + h) = 28$,

$d + h = (1 + 2 + 3 + 4 + 5 + 6 + 7 + 8) - 28 = 8$,

由(2)+(4)，同样可得 $b + f = 8$,

又 1，2，3，4，5，6，7，8 中有 $1 + 7 = 2 + 6 = 3 + 5 = 8$.

又 1 要出现在顶点上，$d + h$ 与 $b + f$ 只能有 $2 + 6$ 和 $3 + 5$ 两种填法.

又由对称性，不妨设 $b = 2, f = 6, d = 3, h = 5$.

a，c，e，g 可取到 1，4，7，8

若 $a = 1$，则 $c = 14 - (1 + 2) = 11$，不在 1，4，7，8 中，不行.

若 $c = 1$，则 $a = 14 - (1 + 2) = 11$，不行.

若 $e = 1$，则 $c = 14 - (1 + 3) = 10$，不行.

若 $g = 1$，则 $a = 8, c = 4, e = 7$.

🔴**解**：例 1 为封闭型数阵，由它的分析思考过程可以看出，确定各边顶点所应填的数为封闭型数阵的解题突破口.

【**例 2**】　请你把 1~7 这七个自然数，分别填在下图(1) 的圆圈内，使每条直线上的三个数的和都相等. 应怎样填？

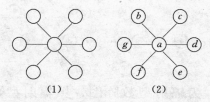

(1)　　　　(2)

🔴**分析**　为叙述方便，先在圆圈中标上字母，如上图(2).

设 $a+b+e=a+c+f=a+d+g=k$，

则 $(a+b+e)+(a+c+f)+(a+d+g)=3k$

$$3a+b+c+d+e+f+g=3k$$

$$2a+(a+b+c+d+e+f+g)=3k$$

$$2a+(1+2+3+4+5+6+7)=3k$$

$$2a+28=3k$$

a 为 1、4 或 7.

若 $a=1$，则 $k=10$，直线上另外两个数的和为 9. 在 2、3、4、5、6、7 中，$2+7=3+6=4+5=9$，因此得到一个解为：$a=1$，$b=2$，$c=3$，$d=4$，$e=7$，$f=6$，$g=5$.

若 $a=4$，则 $k=12$，直线上另外两个数的和为 8. 在 1、2、3、5、6、7 中，$1+7=2+6=3+5=8$，因此得到第二个解为：$a=4$，$b=1$，$c=2$，$d=3$，$e=7$，$f=6$，$g=5$.

若 $a=7$，则 $k=14$，直线上另外两个数的和为 7. 在 1、2、3、4、5、6 中，$1+6=2+5=3+4=7$，因此得到第三个解为：$a=7$，$b=1$，$c=2$，$d=3$，$e=6$，$f=5$，$g=4$.

解：共得到三个解：如下图.

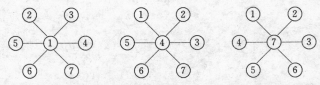

【例 2】　为辐射型数阵图，填辐射型数阵图的关键在于确定中心数 a 和每条直线上几个圆圈内数的和 k.

【例 3】　如下图（1）所示，在每个小圆圈内填上一个数，使得每一条直线上的三个数的和都等于大圆圈上三个数的和.

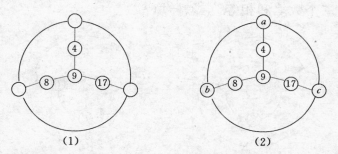

(1)　　　　　　　　　(2)

分析　为叙述方便，先在每个圆圈内标上字母，如图 (2).

则有　　$a + 4 + 9 = a + b + c$　　　　　　　　(1)

　　　　$b + 8 + 9 = a + b + c$　　　　　　　　(2)

　　　　$c + 17 + 9 = a + b + c$　　　　　　　(3)

$(1) + (2) + (3)$　　　$(a + b + c) + 56 = 3(a + b + c)$

　　　　　　　$a + b + c = 28$

则　　$a = 28 - (4 + 9) = 15$

　　　$b = 28 - (8 + 9) = 11$

　　　$c = 28 - (17 + 9) = 2$

解:见图.

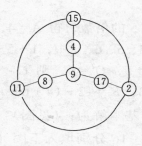

【例4】 请你将数字 1、2、3、4、5、6、7 填在下面图（1）所示的圆圈内,使得每个圆圈上的三个数之和与每条直线上的三个数之和相等.应怎样填?

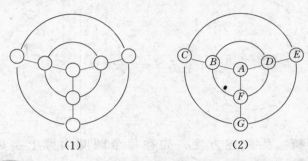

（1）　　　　　　　（2）

分析 为了叙述方便,将各圆圈内先填上字母,如图（2）所示.

设 $A+B+C=A+F+G=A+D+E$
$$=B+D+F$$
$$=C+E+G=k$$

$(A+B+C)+(A+F+G)+(A+D+E)+(B+D+F)+(C+E+G)=5k,$

$3A+2B+2C+2D+2E+2F+2G=5k,$

$2(A+B+C+D+E+F+G)+A=5k,$

$2(1+2+3+4+5+6+7)+A=5k,$

$56+A=5k.$

因为 $56+A$ 为 5 的倍数,得 $A=4$,进而推出 $k=12$.

因为在 1、2、3、5、6、7 中,$1+5+6=7+3+2=12$,不妨设 $B=1$,$F=5$,$D=6$,则 $C=12-(4+1)=7$,$G=12-(4+5)=3$,$E=12-(4+6)=2$.

解:得到一个基本解为:（见图）

【例5】 将 1~16 分别填入下图（1）中圆圈内,要

110

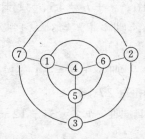

求每个扇形上四个数之和及中间正方形的四个数之和都为 34，图中已填好八个数，请将其余的数填完.

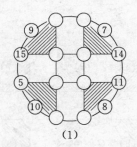

(1)

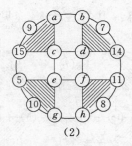

(2)

分析   为了叙述方便，将圆圈内先填上字母，如图（2）所示.

$9 + 15 + a + c = 34$,　　　　$5 + 10 + e + g = 34$,

$7 + 14 + b + d = 34$,　　　　$11 + 8 + f + h = 34$,

$c + d + e + f = 34$,

化简得：$a + c = 10$　$4 + 6 = 10$.

$e + g = 19$　$3 + 16 = 19$, $6 + 13 = 19$

$b + d = 13$　$1 + 12 = 13$,

$f + h = 15$　$2 + 13 = 15$, $3 + 12 = 15$.

a, b, c, d, e, f, g, h 应分别从 1，2，3，4，6，12，13，16 中选取．因为 $a + c = 10$，所以只能选 $a + c = 4 + 6$；$b + d = 13$，只能选 $b + d = 13$；$e + g = 19$，

111

只能选 $e + g = 3 + 16$；$f + h = 15$，只能选 $f + h = 2 + 13$

若 $d = 1$，$c = 4$，则 $e + f = 34 - 1 - 4 = 29$，有 $e = 16$，$f = 13$.

若 $d = 1$，$c = 6$，则 $e + f = 34 - 1 - 6 = 27$，那么 e、f 无值可取，使其和为 27.

若 $d = 12$，$c = 4$，则 $e + f = 34 - 12 - 4 = 18$，有 $e = 16$，$f = 2$.

若 $d = 12$，$c = 6$，则 $e + f = 34 - 12 - 6 = 16$，有 $e = 3$，$f = 13$.

解：共有三个解（见图）.

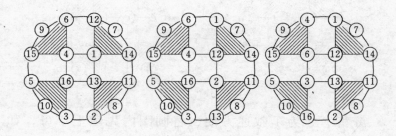

习题十二

1. 如果把例 1 的条件改为"使四边形每条边上的三个数之和都等于 12",其他条件不变,又应如何填?

2. 请在下图(1)中圆圈内填入 1~9 这九个数,其中 6,8 已填好,要求 A、B、C、D 四个小三角形边上各数字之和全都相等.

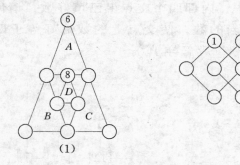

(1)   (2)

3. 将 1~10 这十个数填入如上图(2)的圆圈内,使每个正方形的四个数字之和都等于 23,应怎样填?

4. 右图是一部古怪的电话,中间的十二个键分别为四个圆形、四个椭圆形和四个正方形. 若想打电话,必须首先将 1~12 这十二个数填入其中,使四个椭圆、四个圆形、四个正方形以及四条直线上的四个数之和都为 26,假如你要打电话,那么你将怎样填数?

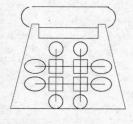

5. 请在下图的空格内填入 1~46 这四十六个自然数,使每一笔直线上各数之和都等于 93. 应怎样填?

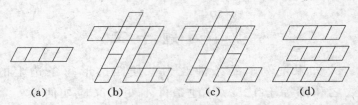

(a)　　　(b)　　　(c)　　　(d)

6. 把 1~8 这八个数字分别填入下图（1）中的圆圈内，使每个圆周上与每条直线上四个数之和都相等，给出一种具体的填法.

7. 下图（2）中，内部四个交点上已填好数，请你在四周方格里填上适当的数，使交点上的数恰好等于四周四个方格内的数的和. 应怎样填？

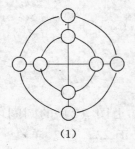

（1）

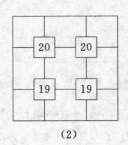

（2）

1.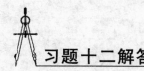

2.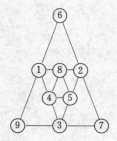

3.

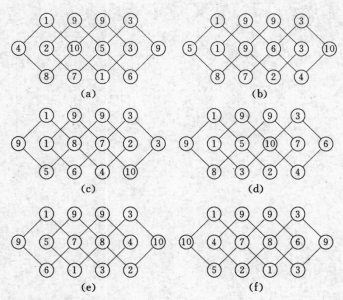

共有以上六个解.

4. 解不惟一.

5. 解不惟一.

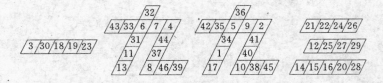

6. 答案不惟一.　　　　　**7.** 答案不惟一.

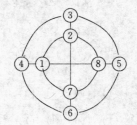　　　　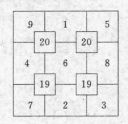

第*13*讲 填横式（一）

整数可以分为奇数和偶数两类．我们把 1，3，5，7，9 和个位数字是 1，3，5，7，9 的数叫奇数．把 0，2，4，6，8 和个位数是 0，2，4，6，8 的数叫偶数．

① 整数的加法有以下性质：

奇数 + 奇数 = 偶数；

奇数 + 偶数 = 奇数；

偶数 + 偶数 = 偶数．

② 整数的减法有以下性质：

奇数 − 奇数 = 偶数；

奇数 − 偶数 = 奇数；

偶数 − 奇数 = 奇数；

偶数 − 偶数 = 偶数．

③ 整数的乘法有以下性质：

奇数 × 奇数 = 奇数；

奇数 × 偶数 = 偶数；

偶数 × 偶数 = 偶数．

④ 奇数 ≠ 偶数．

利用上面的性质往往可以巧妙地解出一些数字问题，请看下面的例题．

【例 1】 把 1~8 这八个数字写成两个四位数字，使它们的差等于 1111．即：

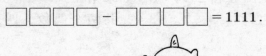

分析 注意到两个四位数字的差是 1111，也就是要求被减数上的每一位数，都要比减数上相对应的位上的数大 1．而所给的八个数字最小的是 1，是奇数，所以被减数各位上的数字都应是偶数，而减数的每一位，都是比被减数上相对应的位上的数小 1 的奇数．这样就可以得到答案．

解：本题的答案不惟一，下面是其中的三个．

$$8\ 6\ 4\ 2 - 7\ 5\ 3\ 1 = 1111；$$

$$6\ 4\ 2\ 8 - 5\ 3\ 1\ 7 = 1111；$$

$$2\ 4\ 6\ 8 - 1\ 3\ 5\ 7 = 1111．$$

补充说明：这道题的答案共有 24 个．同学们可以试着写出其他的解．

【例 2】 将 1～9 这九个数字分别填入下面算式的九个 □ 中，使每个算式都成立．

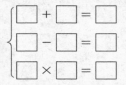

分析 ① 审题．在题目的三个算式中，乘法运算要求比较高，它要求在从 1～9 这九个数字中选出两个，使它们的积是一位数，且三个数字不能重复．

② 选择解题的突破口．由①的分析可知，填出第三个乘法算式是解题的关键．

③ 确定各空格中的数字．由前面的分析，满足乘法算式的只有 $2 \times 3 = 6$ 和 $2 \times 4 = 8$．如果第三式填 $2 \times 3 = 6$．则剩下的数是 1，4，5，7，8，9，共两个偶数，四个奇

数．由整数的运算性质知，两个偶数必定是前两个式中

各填一个．试一试，可以这样填：$\begin{cases} \boxed{4} + \boxed{5} = \boxed{9} \\ \boxed{8} - \boxed{7} = \boxed{1} \end{cases}$（答案

不是惟一的，这里只填出一个）．如果第三式填 $2 \times 4 = 8$，
则剩下的数是 1，3，5，6，7，9．其中只有一个偶数和
五个奇数，由整数的运算性质知，无论怎样组合都不能
填出前两个算式．

解：本题的一个答案是：

$$\begin{cases} \boxed{4} + \boxed{5} = \boxed{9} \\ \boxed{8} - \boxed{7} = \boxed{1} \\ \boxed{2} \times \boxed{3} = \boxed{6} \end{cases}$$

【例 3】　将 1～9 分别填入下面算式的 $\boxed{}$ 中，使每
个算式都成立，其中 1，2，5 已填出．

$$\begin{cases} \boxed{} \times \boxed{} = 5\ \boxed{} \\ 12 + \boxed{} = \boxed{} + \boxed{} \end{cases}$$

分析　① 审题．本题由两个算式构成，题目中给了
三个数字．由题目可见，第一个算式的要求比较高．

② 选择解题的突破口．填出第一式是解决这道题的
关键．

③ 确定各 $\boxed{}$ 中的数字，观察题目发现，满足第一
个算式的只有 $7 \times 8 = 56$ 和 $6 \times 9 = 54$．如果第一式填
$7 \times 8 = 56$，则剩下的数是 3，4，9．无论怎样把它们填入
第二式，都不能满足．所以这种填法不行．如果第一式
填 $6 \times 9 = 54$，则剩下的数是 3，7，8．可以这样填入第
二式，即：

$$12 + \boxed{3} = \boxed{7} + \boxed{8}.$$

解：本题的答案是：

$$\begin{cases} \boxed{6} \times \boxed{9} = 5\,\boxed{4} \\ 12 + \boxed{3} = \boxed{7} + \boxed{8}. \end{cases}$$

补充说明：形如例2、例3这样的多个算式填数的问题，在解决时，常常把填出要求比较高的算式（如乘法算式）作为解题的突破口，然后再考虑其他算式，得出答案．有时，答案是不惟一的，在解题时，只要写出一个正确的答案就可以了．

【例4】　将1~8这八个数字分别填入下面算式的 $\boxed{}$ 中，使每个算式都成立．

$$\begin{cases} \boxed{} \times \boxed{} = \boxed{}\,\boxed{} \\ \boxed{} \times \boxed{} + 9 = \boxed{}\,\boxed{}. \end{cases}$$

分析　① 审题．题目中的 $\boxed{}$ 比较多，且两个算式要求都比较高．如果硬猜会很难，为叙述方便，我们将各空格中填上字母如下：

$$\begin{cases} \boxed{A} \times \boxed{B} = \boxed{C}\,\boxed{D} \\ \boxed{E} \times \boxed{F} + 9 = \boxed{G}\,\boxed{H}. \end{cases}$$

② 选择解题的突破口．由于要填的数字中没有0，而所有的数字不能重复．所以，第一式的 A、B、D 不能填5．且第二式的 E、F 中，只能有一个填5，不妨设可填在 E 上．这样，5只能填在 C、E、G、H 四个空格之一．这就是解决本题的突破口．

③ 确定各 $\boxed{}$ 中的数字．

(i) 若 $C = 5$，则第一式为：$\boxed{A} \times \boxed{B} = \boxed{5}\,\boxed{D}$，空格

A、B 只能填 7 和 8，此时 $D=6$．即：$\boxed{7} \times \boxed{8} = \boxed{5}\boxed{6}$．此时，剩下数字 1，2，3，4 去填第二式．在用它们去填 E、F 时，有如下几种情况：1×2，1×3，1×4，2×3，2×4，3×4．（注意：在讨论中，应该把各种可能性不重、不漏地考虑到．这样从小到大，循序渐进的方法很重要）．把每一种情况都试验结果知，只有 E、F 填 3 和 4 时，可以满足第二个等式，此时，$\boxed{3} \times \boxed{4} + 9 = \boxed{2}\boxed{1}$．这就找到了一个解．

(ii)若 $E=5$，则第二个算式为：$\boxed{5} \times \boxed{F} + 9 = \boxed{G}\boxed{H}$，$F$ 不能填偶数，否则结果中的 $H=9$，重复．F 只能填奇数 1，3，7．若 $F=1$，则 $G=1$，出现重复数字，不行，若 $F=3$，则第二式为：$\boxed{5} \times \boxed{3} + 9 = \boxed{2}\boxed{4}$．剩下数字 1，6，7，8，无论怎样，都无法满足第一式，不行；若 $F=7$，则 $\boxed{G}\boxed{H} = 44$，出现重复数字．也不行．所以，E 所在空格不能填 5．

(iii)若 $G=5$，则第二个算式为：$\boxed{E} \times \boxed{F} + 9 = \boxed{5}\boxed{H}$．这时，$E$、$F$ 可以填 6、7 或 6、8．

如果 E、F 填 6、7，则有 $\boxed{6} \times \boxed{7} + 9 = \boxed{5}\boxed{1}$，$H=1$．下面用剩下的数字 2，3，4，8 填第一式．分析第一式，可以得到两个解为：

$$\begin{cases} \boxed{4} \times \boxed{8} = \boxed{3}\boxed{2} \\ \boxed{6} \times \boxed{7} + 9 = \boxed{5}\boxed{1} \end{cases} \quad 和 \quad \begin{cases} \boxed{3} \times \boxed{8} = \boxed{2}\boxed{4} \\ \boxed{6} \times \boxed{7} + 9 = \boxed{5}\boxed{1} \end{cases}$$

如果 E、F 填 6、8，则有 $\boxed{6} \times \boxed{8} + 9 = \boxed{5}\boxed{7}$，$H=7$．下面用剩下的数字 1，2，3，4 填第一式，分析第一式，可以这样填：$\boxed{3} \times \boxed{4} = \boxed{1}\boxed{2}$．

(iv)若 $H=5$，则第二个算式为：$\boxed{E} \times \boxed{F} + 9 = \boxed{G}\boxed{5}$，这时，$\boxed{E} \times \boxed{F}$ 的个位必须等于 6．$E \times F$ 可以是 1×6，

2×3，2×8，7×8.

如果 E、F 填 1 和 6，则 $G = 1$，重复，不行.

如果 E、F 填 2 和 3，则 $\boxed{2} \times \boxed{3} + 9 = \boxed{1}\boxed{5}$，剩下的数字为：4、6、7、8，不论怎样填，都不能满足第一式，所以 E、F 不能填 2 和 3.

如果 E、F 填 2 和 8，则 $G = 2$，重复. 不行.

如果 E、F 填 7 和 8，则第二式为：$\boxed{7} \times \boxed{8} + 9 = \boxed{6}\boxed{5}$. 剩下的数字是 1，2，3，4. 用它们填第一式，可以是：$\boxed{3} \times \boxed{4} = \boxed{1}\boxed{2}$.

解：

$$\begin{cases} \boxed{7} \times \boxed{8} = \boxed{5}\boxed{6} \\ \boxed{3} \times \boxed{4} + 9 = \boxed{2}\boxed{1} \end{cases} ; \quad \begin{cases} \boxed{3} \times \boxed{8} = \boxed{2}\boxed{4} \\ \boxed{6} \times \boxed{7} + 9 = \boxed{5}\boxed{1} \end{cases} ;$$

$$\begin{cases} \boxed{4} \times \boxed{8} = \boxed{3}\boxed{2} \\ \boxed{6} \times \boxed{7} + 9 = \boxed{5}\boxed{1} \end{cases} ; \quad \begin{cases} \boxed{3} \times \boxed{4} = \boxed{1}\boxed{2} \\ \boxed{6} \times \boxed{8} + 9 = \boxed{5}\boxed{7} \end{cases} ;$$

$$\begin{cases} \boxed{3} \times \boxed{4} = \boxed{1}\boxed{2} \\ \boxed{7} \times \boxed{8} + 9 = \boxed{6}\boxed{5} \end{cases} .$$

补充说明：这道题应用乘法的交换律还可以写出一些解答的形式.

习题十三

1. 把 1～8 这八个数字分别填入下面的 ☐ 中，使算式成立.

☐☐☐☐ + ☐☐☐☐ = 9999.

2. 把 0～9 这十个数字分别填入下面的 ☐ 中，使各算式都成立.

$$\begin{cases} ☐ + ☐ = ☐ \\ ☐ - ☐ = ☐ \\ ☐ \times ☐ = ☐☐ \end{cases}$$

3. 把 2～9 这个八个数字分别填入下面的 ☐ 中，使各算式都成立.

$$\begin{cases} ☐ + ☐ - ☐ = ☐ \\ ☐ \times ☐ = ☐☐ \end{cases}$$

4. 把 1～9 这九个数字分别填入下面的 ☐ 中，使各算式都成立.

$$\begin{cases} ☐ + ☐ = ☐ \\ ☐☐ \times ☐ = ☐☐☐ \end{cases}$$

习题十三解答

1. $\boxed{1}\,\boxed{2}\,\boxed{3}\,\boxed{4} + \boxed{8}\,\boxed{7}\,\boxed{6}\,\boxed{5} = 9999$. （解不惟一，有 384 种不同的填法）.

2. 解不惟一，第一、二式可有不同填法.

$$\begin{cases} \boxed{3} + \boxed{6} = \boxed{9} \\ \boxed{8} - \boxed{7} = \boxed{1} \\ \boxed{4} \times \boxed{5} = \boxed{2}\,\boxed{0} \end{cases}$$

3. 解不惟一，第一式可有不同填法.

$$\begin{cases} \boxed{3} + \boxed{6} - \boxed{4} = \boxed{5} \\ \boxed{9} \times \boxed{8} = \boxed{7}\,\boxed{2} \end{cases} \quad \text{或} \quad \begin{cases} \boxed{3} + \boxed{7} - \boxed{8} = \boxed{2} \\ \boxed{6} \times \boxed{9} = \boxed{5}\,\boxed{4} \end{cases}$$

4. ① $\begin{cases} \boxed{1} + \boxed{2} = \boxed{3} \\ \boxed{8}\,\boxed{4} \times \boxed{9} = \boxed{7}\,\boxed{5}\,\boxed{6} \end{cases}$

② $\begin{cases} \boxed{1} + \boxed{8} = \boxed{9} \\ \boxed{5}\,\boxed{2} \times \boxed{7} = \boxed{3}\,\boxed{6}\,\boxed{4} \end{cases}$

③ $\begin{cases} \boxed{1} + \boxed{4} = \boxed{5} \\ \boxed{8}\,\boxed{9} \times \boxed{3} = \boxed{2}\,\boxed{6}\,\boxed{7} \end{cases}$

④ $\begin{cases} \boxed{1} + \boxed{4} = \boxed{5} \\ \boxed{9}\,\boxed{2} \times \boxed{8} = \boxed{7}\,\boxed{3}\,\boxed{6} \end{cases}$

⑤ $\begin{cases} \boxed{1} + \boxed{3} = \boxed{4} \\ \boxed{9}\,\boxed{7} \times \boxed{6} = \boxed{5}\,\boxed{8}\,\boxed{2} \end{cases}$

⑥ $\begin{cases} \boxed{1} + \boxed{4} = \boxed{5} \\ \boxed{7}\,\boxed{9} \times \boxed{8} = \boxed{6}\,\boxed{3}\,\boxed{2} \end{cases}$

⑦ $\begin{cases} \boxed{4} + \boxed{5} = \boxed{9} \\ \boxed{8}\,\boxed{7} \times \boxed{3} = \boxed{2}\,\boxed{6}\,\boxed{1} \end{cases}$

⑧ $\begin{cases} \boxed{1} + \boxed{4} = \boxed{5} \\ \boxed{8}\,\boxed{9} \times \boxed{7} = \boxed{6}\,\boxed{2}\,\boxed{3} \end{cases}$

⑨ $\begin{cases} \boxed{1} + \boxed{2} = \boxed{3} \\ \boxed{9}\,\boxed{4} \times \boxed{7} = \boxed{6}\,\boxed{5}\,\boxed{8} \end{cases}$

⑩ $\begin{cases} \boxed{1} + \boxed{8} = \boxed{9} \\ \boxed{5}\,\boxed{7} \times \boxed{6} = \boxed{3}\,\boxed{4}\,\boxed{2} \end{cases}$

⑪ $\begin{cases} \boxed{1} + \boxed{7} = \boxed{8} \\ \boxed{5}\,\boxed{9} \times \boxed{4} = \boxed{2}\,\boxed{3}\,\boxed{6} \end{cases}$

⑫ $\begin{cases} \boxed{3} + \boxed{5} = \boxed{8} \\ \boxed{2}\,\boxed{9} \times \boxed{6} = \boxed{1}\,\boxed{7}\,\boxed{4} \end{cases}$

⑬ $\begin{cases} \boxed{2} + \boxed{6} = \boxed{8} \\ \boxed{5}\,\boxed{9} \times \boxed{7} = \boxed{4}\,\boxed{1}\,\boxed{3} \end{cases}$

第14讲 填横式（二）

在上讲基础上，这一讲我们继续研究. 某些横式中只给了运算符号和个别数字，需要我们通过分析、思考填入一些适当的数字，使算式成立.

【例1】 将1~9这九个数字分别填入下面算式的空格内，其中有一个数字已经知道，每个空格内只许填一个数字，使算式成立：

$$\boxed{}\boxed{}\boxed{} \div \boxed{}\boxed{} = \boxed{} - \boxed{} = \boxed{} - 7$$

分析 观察此横式，共三个算式，$\boxed{}\boxed{}\boxed{} \div \boxed{}$ $\boxed{}$、$\boxed{} - \boxed{}$、$\boxed{} - 7$，要使这三个算式的运算结果相同. 由于第三个算式的减数已经知道，所以选择第三个算式 $\boxed{} - 7$ 的差作为解题的突破口.

因为 $\boxed{} - 7$ 中被减数可填8和9，所以 $\boxed{} - 7$ 的差就可以为 1 和 2 这两种情况.

（1）若第三个算式为 $\boxed{8} - 7$，由于第一个算式 $\boxed{}$ $\boxed{}\boxed{} \div \boxed{}\boxed{}$，不论这五个空格内填什么数字，都不能出现商为 1，因此第三个算式不可能为 $\boxed{8} - 7$.

（2）若第三个算式为 $\boxed{9} - 7$，那么第一个算式为：

$$\boxed{}\boxed{}\boxed{} \div \boxed{}\boxed{} = 2，即 \boxed{}\boxed{}\boxed{} = \boxed{}\boxed{} \times 2，$$

从而积的百位数为 1，此时还有 2，3，4，5，6，8 可填，由数字不重复出现可得两位乘数只能为 86、83、82、64、62 五种取值。

若乘数为 86，积为 $86 \times 2 = 172$，7 已出现，不行；

若乘数为 83，积为 $83 \times 2 = 166$，6 重复出现，不行；

若乘数为 82，积为 $82 \times 2 = 164$，剩下的 $5 - 3 = 2$，可以，此时有 $\boxed{1}\,\boxed{6}\,\boxed{4} \div \boxed{8}\,\boxed{2} = \boxed{5} - \boxed{3} = \boxed{9} - 7$；

若乘数为 64，积为 $64 \times 2 = 128$，剩下的 $5 - 3 = 2$，可以，此时有 $\boxed{1}\,\boxed{2}\,\boxed{8} \div \boxed{6}\,\boxed{4} = \boxed{5} - \boxed{3} = \boxed{9} - 7$；

若乘数为 62，积为 $62 \times 2 = 124$，2 重复出现，不行.

解：$\boxed{1}\,\boxed{6}\,\boxed{4} \div \boxed{8}\,\boxed{2} = \boxed{5} - \boxed{3} = \boxed{9} - 7$，

$\boxed{1}\,\boxed{2}\,\boxed{8} \div \boxed{6}\,\boxed{4} = \boxed{5} - \boxed{3} = \boxed{9} - 7$.

【例 2】　　将 1～9 这九个数字分别填入下面算式的空格中，每个空格只许填一个数字，使算式成立：

$$\boxed{}\,\boxed{} \div \boxed{} = \boxed{}\,\boxed{} \div \boxed{} = \boxed{}\,\boxed{} \div \boxed{}$$

分析　　由于三个算式都是两位数除以一位数，所以考虑起来比较困难.

（1）如果 1 出现在被除数的十位，则每个算式的商最小为 2，最大为 9.

为了叙述方便，将方格内先填上字母：

$\boxed{A}\,\boxed{B} \div \boxed{C} = \boxed{D}\,\boxed{E} \div \boxed{F} = \boxed{G}\,\boxed{H} \div \boxed{I}$

① 若 $\boxed{A}\,\boxed{B} \div \boxed{C} = \boxed{D}\,\boxed{E} \div \boxed{F} = \boxed{G}\,\boxed{H} \div \boxed{I} = 2$，则三个算式中 $A = D = G = 1$，出现重复数字，所以三个算式的商不可能都为 2.

② $\boxed{A}\,\boxed{B} \div \boxed{C} = \boxed{D}\,\boxed{E} \div \boxed{F} = \boxed{G}\,\boxed{H} \div \boxed{I} = 3$，则三个算式中的 A、D、G 必为 1 和 2，也出现重复数字，所以三个算式的商不可能都为 3.

③ $\boxed{A}\,\boxed{B} \div \boxed{C} = \boxed{D}\,\boxed{E} \div \boxed{F} = \boxed{G}\,\boxed{H} \div \boxed{I} = 4$，则三个算式中的 A、D、G 为 1、2 和 3，

$$12 \div 3 = 4 \qquad 24 \div 6 = 4 \qquad 32 \div 8 = 4$$
$$16 \div 4 = 4 \qquad 28 \div 7 = 4 \qquad 36 \div 9 = 4$$

若第一个算式为 $\boxed{1}\,\boxed{2} \div \boxed{3}$，则 D 与 G 都不能为 2，只能为 3，出现重复数字，因此第一个算式为 $\boxed{1}\,\boxed{6} \div \boxed{4}$，由于 4 与 6 都已用过，所以第二个算式不可能为 $\boxed{2}\,\boxed{4} \div \boxed{6}$，便为 $\boxed{2}\,\boxed{8} \div \boxed{7}$，这时剩下 3、5、9 三个数字没有用过，而这三个数字无法组成商为 4 的除法算式，因此三个算式的商不可能都为 4．

④ 三个算式的商不可能都为 5，否则会出现 $B = E = H = 5$，或 B、E、H 中有为 0 的，而我们所使用的数字中不包括 0．

⑤ 若 $\boxed{A}\,\boxed{B} \div \boxed{C} = \boxed{D}\,\boxed{E} \div \boxed{F} = \boxed{G}\,\boxed{H} \div \boxed{I} = 6$．
$$18 \div 3 = 6 \qquad 42 \div 7 = 6 \qquad 54 \div 9 = 6$$
由于在这三个算式的被除数与除数部分，4 重复出现，因此三个算式的商不可能都为 6．

⑥ 若 $\boxed{A}\,\boxed{B} \div \boxed{C} = \boxed{D}\,\boxed{E} \div \boxed{F} = \boxed{G}\,\boxed{H} \div \boxed{I} = 7$．
$$14 \div 2 = 7 \quad 21 \div 3 = 7 \quad 28 \div 4 = 7 \quad 42 \div 6 = 7$$
$$49 \div 7 = 7 \qquad 56 \div 8 = 7 \qquad 63 \div 9 = 7$$

由于找不到三个左边数字不重复出现的式子，因此三个算式的商不可能都为 7．

⑦ 若 $\boxed{A}\,\boxed{B} \div \boxed{C} = \boxed{D}\,\boxed{E} \div \boxed{F} = \boxed{G}\,\boxed{H} \div \boxed{I} = 8$．
$$16 \div 2 = 8 \qquad 24 \div 3 = 8 \qquad 32 \div 4 = 8$$
$$56 \div 7 = 8 \qquad 64 \div 8 = 8 \qquad 72 \div 9 = 8$$

由于找不到三个左边数字不重复出现的式子，因此三个算式的商不可能都为 8．

⑧ 若 $\boxed{A}\,\boxed{B} \div \boxed{C} = \boxed{D}\,\boxed{E} \div \boxed{F} = \boxed{G}\,\boxed{H} \div \boxed{I} = 9$．
$$18 \div 2 = 9 \quad 27 \div 3 = 9 \quad 36 \div 4 = 9 \quad 54 \div 6 = 9$$

$63 \div 7 = 9$　　$72 \div 8 = 9$　　$81 \div 9 = 9$

由于找不到三个左边数字不重复出现的式子，因此三个算式的商不可能都为 9.

（2）如果 1 出现在被除数的个位，则商为 3、7、9、13、17、27.

① 若 $\boxed{A}\,\boxed{B} \div \boxed{C} = \boxed{D}\,\boxed{E} \div \boxed{F} = \boxed{G}\,\boxed{H} \div \boxed{I} = 3$，

$21 \div 7 = 3$ 剩下 3、4、5、6、8、9 这六个数字，不可能组成被除数是两位数，除数是一位数且商为 3 的除法算式，因此这三个算式的商不可能都为 3.

② 若 $\boxed{A}\,\boxed{B} \div \boxed{C} = \boxed{D}\,\boxed{E} \div \boxed{F} = \boxed{G}\,\boxed{H} \div \boxed{I} = 7$，

$21 \div 3 = 7$　　　$56 \div 8 = 7$　　　$49 \div 7 = 7$

便有 $\boxed{2}\,\boxed{1} \div \boxed{3} = \boxed{5}\,\boxed{6} \div \boxed{8} = \boxed{4}\,\boxed{9} \div \boxed{7}$

③ 若 $\boxed{A}\,\boxed{B} \div \boxed{C} = \boxed{D}\,\boxed{E} \div \boxed{F} = \boxed{G}\,\boxed{H} \div \boxed{I} = 9$，

$81 \div 9 = 9$　　　$54 \div 6 = 9$　　　$27 \div 3 = 9$

便有 $\boxed{2}\,\boxed{7} \div \boxed{3} = \boxed{5}\,\boxed{4} \div \boxed{6} = \boxed{8}\,\boxed{1} \div \boxed{9}$

④ 若 $\boxed{A}\,\boxed{B} \div \boxed{C} = \boxed{D}\,\boxed{E} \div \boxed{F} = \boxed{G}\,\boxed{H} \div \boxed{I} = 13$，

$91 \div 7 = 13$　　$52 \div 4 = 13$，还剩 3、6、8 三个数字，不可能组成商为 13 的除法算式. 因此三个算式的商不可能都为 13.

⑤ 若 $\boxed{A}\,\boxed{B} \div \boxed{C} = \boxed{D}\,\boxed{E} \div \boxed{F} = \boxed{G}\,\boxed{H} \div \boxed{I} = 17$，

$51 \div 3 = 17$　　$68 \div 4 = 17$，还剩 2、7、9 三个数字，不可能组成商为 17 的除法算式. 因此三个算式的商不可能都为 17.

⑥ 若 $\boxed{A}\,\boxed{B} \div \boxed{C} = \boxed{D}\,\boxed{E} \div \boxed{F} = \boxed{G}\,\boxed{H} \div \boxed{I} = 27$，

$81 \div 3 = 27$　　$54 \div 2 = 27$，还剩 6、7、9 三个数字，不可能组成商为 27 的除法算式. 因此三个算式的商不可能全为 27.

（3）如果 1 出现在除数部分，则商为 23～29 和 32，经试验无一成立.

解：$\boxed{2}\,\boxed{1} \div \boxed{3} = \boxed{4}\quad \boxed{9} \div \boxed{7} = \boxed{5}\quad \boxed{6} \div \boxed{8}$，

$\boxed{2}\,\boxed{7} \div \boxed{3} = \boxed{5}\quad \boxed{4} \div \boxed{6} = \boxed{8}\quad \boxed{1} \div \boxed{9}$.

【例 3】 下题是由 1～9 这九个数字组成的算式，其中有一个数字已经知道，请将其余的数字填入空格，使算式成立：

$$\begin{cases} \boxed{\ } \times \boxed{\ } = 5\,\boxed{\ } \\ \boxed{\ }\,\boxed{\ } \div \boxed{\ } \times \boxed{\ } = \boxed{\ } \end{cases}$$

分析 由于第一个算式中已经知道了一个数字，所以选择第一个算式作为解题的突破口.

由于 $\boxed{6} \times \boxed{9} = 5\,\boxed{4}$，$\boxed{7} \times \boxed{8} = 5\,\boxed{6}$，所以第一个算式只有这两种情况.

现在看第二个算式，为了叙述方便，先将第二个算式的空格内填上字母：

$$\boxed{A}\,\boxed{B} \div \boxed{C} \times \boxed{D} = \boxed{E}$$

由于第二个算式的结果为一位数，所以第二个算式中 $\boxed{A}\,\boxed{B} \div \boxed{C}$ 的商必为一位数，且不为 1.

① 若第一个算式为 $\boxed{6} \times \boxed{9} = 5\,\boxed{4}$，则还剩 1、3、7、8 这五个数字，因此 D 为 1 或 2.

若 $D = 1$，则还剩 2、3、7、8 这四个数字，无论怎样填，也都无法使算式

$$\boxed{A}\,\boxed{B} \div \boxed{C} \times \boxed{1} = \boxed{E}$$

成立.

若 $D = 2$，则还剩 1、3、7、8 这四个数字，无论怎

样填，都不能使算式

$$\boxed{A}\boxed{B} \div \boxed{C} \times \boxed{2} = \boxed{E}$$

成立.

因此第一个算式不可能为 $\boxed{6} \times \boxed{9} = \boxed{5}\boxed{4}$.

② 若第一个算式为 $\boxed{7} \times \boxed{8} = \boxed{5}\boxed{6}$，则还剩 1、2、3、4、9 这五个数字，$D$ 可能为 1、2 或 3.

若 $D = 1$，还剩下 2、3、4、9 这四个数字，无论怎样填，都无法使算式

$$\boxed{A}\boxed{B} \div \boxed{C} \times \boxed{1} = \boxed{E} \quad 成立.$$

若 $D = 2$，则还剩 1、3、4、9 这四个数字，无论怎样填，都无法使算式

$$\boxed{A}\boxed{B} \div \boxed{C} \times \boxed{2} = \boxed{E} \quad 成立.$$

若 $D = 3$，则还剩 1、2、4、9 这四个数字，

$$\boxed{1}\boxed{2} \div \boxed{4} \times \boxed{3} = \boxed{9}.$$

解：$\begin{cases} \boxed{7} \times \boxed{8} = \boxed{5}\boxed{6} \\ \boxed{1}\boxed{2} \div \boxed{4} \times \boxed{3} = \boxed{9} \end{cases}$

其中 7 和 8 可对换，4 和 9 可对换.

【例 4】　下题是由 1～9 这九个数字组成的算式，请将这些数字填入空格，使算式成立.

$$\begin{cases} \boxed{} \times \boxed{} \times \boxed{} = \boxed{} + \boxed{} \\ \boxed{} \div \boxed{} = \boxed{} \div \boxed{} \end{cases}$$

分析　为了叙述方便，先将算式各空格中填上字母：

$$\begin{cases} \boxed{A} \times \boxed{B} \times \boxed{C} = \boxed{D} + \boxed{E} \\ \boxed{F} \div \boxed{G} = \boxed{H} \div \boxed{I} \end{cases}$$

由于第二个算式的左右两边是两个一位数相除，商必为一位数，且不为 1. 因此选择第二个算式左右两边的商作为解题的突破口. 而这个商可以为 2、3 或 4.

① 若 $\boxed{F} \div \boxed{G} = \boxed{H} \div \boxed{I} = 2$

$2 \div 1 = 2$　$4 \div 2 = 2$　$6 \div 3 = 2$　$8 \div 4 = 2$

$2 \div 1 = 6 \div 3$，还剩下 4、5、7、8、9 这五个数字，$\boxed{D} + \boxed{E}$ 的和最大为 $8 + 9 = 17$，而 $\boxed{A} \times \boxed{B} \times \boxed{C}$ 的积最小为 $4 \times 5 \times 7 = 140$，所以不可能使第一式成立.

$2 \div 1 = 8 \div 4$，则还剩 3、5、6、7、9 这五个数字，$\boxed{D} + \boxed{E}$ 的和最大为 $7 + 9 = 16$，而 $\boxed{A} \times \boxed{B} \times \boxed{C}$ 的积最小为 $3 \times 5 \times 6 = 90$，所以不可能使第一式成立.

$4 \div 2 = 6 \div 3$，则还剩 1、5、7、8、9 这五个数字，$\boxed{D} + \boxed{E}$ 的和最大为 $8 + 9 = 17$，而 $\boxed{A} \times \boxed{B} \times \boxed{C}$ 的积最小为 $1 \times 5 \times 7 = 35$，所以不可能使第一式成立.

$6 \div 3 = 8 \div 4$，则还剩 1、2、5、7、9 这五个数字，有

$$\boxed{1} \times \boxed{2} \times \boxed{7} = \boxed{5} + \boxed{9}$$

所以 $\begin{cases} \boxed{1} \times \boxed{2} \times \boxed{7} = \boxed{5} + \boxed{9} \\ \boxed{6} \div \boxed{3} = \boxed{8} \div \boxed{4} \end{cases}$

② 若 $\boxed{F} \div \boxed{G} = \boxed{H} \div \boxed{I} = 3$，

$3 \div 1 = 3$　　$6 \div 2 = 3$　　$9 \div 3 = 3$

$3 \div 1 = 6 \div 2$，则还剩 4、5、7、8、9 这五个数字，由于 $\boxed{D} + \boxed{E}$ 的和最大为 $8 + 9 = 17$，而 $\boxed{A} \times \boxed{B} \times \boxed{C}$ 的积最小为 $4 \times 5 \times 7 = 140$，所以不可能使第一式成立.

$6 \div 2 = 9 \div 3$，则还剩 1、4、5、7、8 这五个数字，

由于 $\boxed{D}+\boxed{E}$ 的和最大为 $7+8=15$，而 $\boxed{A}\times\boxed{B}\times\boxed{C}$ 的积最小为 $1\times4\times5=20$，所以不可能使第一式成立．

③ 若 $\boxed{E}\div\boxed{G}=\boxed{H}\div\boxed{I}=4$，

$4\div1=4 \qquad 8\div2=4$

$4\div1=8\div2$，还剩下 3、5、6、7、9 这五个数字，由于 $\boxed{D}+\boxed{E}$ 的和最大为 $7+9=16$，而 $\boxed{A}\times\boxed{B}\times\boxed{C}$ 的积最小为 $3\times5\times6=90$，因此不可能使第一式成立．

解：$\begin{cases} \boxed{1}\times\boxed{2}\times\boxed{7}=\boxed{5}+\boxed{9} \\ \boxed{6}\div\boxed{3}=\boxed{8}\div\boxed{4} \end{cases}$

习题十四

1．下面六个算式中有十个 "$\boxed{}$"，请你把 $0\sim9$ 这十个数字分别填在 "$\boxed{}$" 里，使等式都成立（每个数字只能用一次）．

① $5\times(\boxed{}-8)=5$，　　④ $(\boxed{}+2)\div6=\boxed{}$，

② $\boxed{}\div2+3=6$，　　　⑤ $2\times\boxed{}+\boxed{}=10$，

③ $\boxed{}\times\boxed{}+3=27$，　　⑥ $2\times(\boxed{}-\boxed{})=10$．

2．上、下、左、右四个汉字分别代表四个一位偶数，请你把下面的算式翻译出来：

$\boxed{左}-\boxed{下}\div\boxed{上}-\boxed{右}=1$

$\boxed{右}-\boxed{下}\div\boxed{上}+\boxed{左}=9$

$\boxed{左}-\boxed{下}\div\boxed{上}+\boxed{右}=9$

$\boxed{右}-(\boxed{左}-\boxed{下})\div\boxed{上}=3$．

3．下面算式中的每一个 "$\boxed{}$" 表示 $1\sim9$ 这九个数

字中的一个，其中有一个已填出，请你把"$\boxed{}$"内的数字补齐，使等式成立：

$$\boxed{} \times \boxed{} = \boxed{}\boxed{}\boxed{} \div 5\boxed{} = \boxed{}\boxed{}$$

4．把 1～9 填入下面的空格中，每个空格只许填一个数字，使等式成立：

$$\boxed{} \times \boxed{} - \boxed{} = \boxed{}\boxed{} \div \boxed{}\boxed{} + \boxed{} = \boxed{}$$

5．请你将 1～9 这九个数字分别填入下面各题的空格中，其中有的已填出，每个空格只许填入一个数字，使各算式都成立：

① $\begin{cases} \boxed{} + \boxed{} = \boxed{} \\ 84 \times \boxed{} = \boxed{}\boxed{}\boxed{} \end{cases}$

② $\begin{cases} \boxed{} + \boxed{} = \boxed{} \\ 16 \times \boxed{} \div (\boxed{} - \boxed{}) = \boxed{} \end{cases}$

6．在下面各题中的空格内，用 1～9 这九个数字将空格补齐，每个空格内只许填一个数字，使等式都成立．

① $\begin{cases} \boxed{} \times \boxed{} = \boxed{}\boxed{} \\ \boxed{}\boxed{} + \boxed{} = \boxed{} + \boxed{} \end{cases}$

② $\begin{cases} \boxed{} + \boxed{} - \boxed{} = \boxed{} \\ \boxed{} \times \boxed{} \div \boxed{} = \boxed{}\boxed{} \end{cases}$

习题十四解答

1. ① $5 \times (\boxed{9} - 8) = 5$

   ② $\boxed{6} \div 2 + 3 = 6$

   ③ $\boxed{3} \times \boxed{8} + 3 = 27$

   ④ $(\boxed{4} + 2) \div 6 = \boxed{1}$

   ⑤ $2 \times \boxed{5} + \boxed{0} = 10$

   ⑥ $2 \times (\boxed{7} - \boxed{2}) = 10$.

2. $\boxed{8} - \boxed{6} \div \boxed{2} - \boxed{4} = 1$

   $\boxed{8} - \boxed{6} \div \boxed{2} + \boxed{4} = 9$

   $\boxed{4} - \boxed{6} \div \boxed{2} + \boxed{8} = 9$

   $\boxed{4} - (\boxed{8} - \boxed{6}) \div \boxed{2} = 3$.

3. $\boxed{3} \times \boxed{6} = \boxed{9}\,\boxed{7}\quad\boxed{2}\,\boxed{2} \div 5\,\boxed{4} = \boxed{1}\,\boxed{8}$

   提示：从三位数除以两位数的商入手.

4. $\boxed{2} \times \boxed{5} - \boxed{7} = \boxed{9}\quad\boxed{6} \div \boxed{4}\quad\boxed{8} + 1 = \boxed{3}$

5. ① $\begin{cases} \boxed{1} + \boxed{2} = \boxed{3} \\ 84 \times \boxed{9} = \boxed{7}\,\boxed{5}\,\boxed{6} \end{cases}$

   ② $\begin{cases} \boxed{4} + \boxed{5} = \boxed{9} \\ 16 \times \boxed{2} \div (\boxed{7} - \boxed{3}) = \boxed{8} \end{cases}$

   或 $\begin{cases} \boxed{3} + \boxed{4} = \boxed{7} \\ 16 \times \boxed{2} \div (\boxed{9} - \boxed{5}) = \boxed{8} \end{cases}$

6. ① $\begin{cases} \boxed{6} \times \boxed{9} = \boxed{5}\,\boxed{4} \\ \boxed{1}\,\boxed{2} + \boxed{3} = \boxed{7} + \boxed{8} \end{cases}$

② $\begin{cases} 9 + 3 - 5 = 7 \\ 8 \times 4 \div 2 = 16 \end{cases}$

或 $\begin{cases} 5 + 8 - 7 = 6 \\ 4 \times 9 \div 3 = 12 \end{cases}$

或 $\begin{cases} 3 + 9 - 7 = 5 \\ 6 \times 8 \div 4 = 12 \end{cases}$

或 $\begin{cases} 2 + 7 - 4 = 5 \\ 9 \times 6 \div 3 = 18 \end{cases}$.

第15讲 数学竞赛试题选讲

【例1】 计算:$(1+3+5+\cdots+1989)-(2+4+6+\cdots+1988)$ (1988年北京市小学数学奥林匹克邀请赛试题)

解法1:

$$\begin{aligned}原式 &= [(1989+1)\div2]^2-(1988\div2)\times(1988\div2+1)\\&=995^2-994\times995\\&=995\times(995-994)\\&=995.\end{aligned}$$

解法2:去括号,得

$$\begin{aligned}原式 &= 1+3+5+\cdots+1989-2-4-6-\cdots-1988\\&=1+(3-2)+(5-4)+\cdots+(1989-1988)\\&=\underbrace{1+1+1+\cdots+1}_{995个1相加}\\&=995.\end{aligned}$$

说明:解法1是应用两个常见的公式:

前 n 个奇数的和

$$1+3+5+\cdots+(2n-1)=n^2.$$

前 n 个偶数的和

$$2+4+6+\cdots+2n=n\times(n+1).$$

解法2是采用适当分组的方法转化为相同加数的加法问题,即将低级运算(加法)转化为高级运算(乘法).

【例2】 计算:$1+2+3+4\cdots+99+100+99+\cdots+4+3+2+1$

解:运用加法的交换律与结合律,得

137

原式 $= (1 + 99) + (99 + 1) + (2 + 98) + (98 + 2) + \cdots$

$\qquad + (50 + 50) + 100$

$\underbrace{= 100 + 100 + 100 + 100 + \cdots + 100 + 100}_{100个100相加}$

$= 100 \times 100$

$= 10000.$

说明：由本例可以推广为一般公式：

$1 + 2 + 3 + \cdots + (n + 1) + n + (n - 1) + \cdots + 3 + 2 + 1 = n^2.$

【例3】 计算：$1 \times 2 + 2 \times 3 + 3 \times 4 + \cdots + 100 \times 101$

分析 根据题目数据的特点，把各加数作如下恒等变形：

$1 \times 2 = (1 \times 2 \times 3) \div 3$；

$2 \times 3 = (2 \times 3 \times 4 - 1 \times 2 \times 3) \div 3$；

$3 \times 4 = (3 \times 4 \times 5 - 2 \times 3 \times 4) \div 3$；

$\cdots$

$100 \times 101 = (100 \times 101 \times 102 - 99 \times 100 \times 101) \div 3$；

然后运用拆项对消的方法即可计算出和式的结果.

解：原式 $= [1 \times 2 \times 3 + (2 \times 3 \times 4 - 1 \times 2 \times 3) + (3 \times 4$

$\qquad \times 5 - 2 \times 3 \times 4) + \cdots + (100 \times 101 \times 102$

$\qquad - 99 \times 100 \times 101)] \div 3$

$\qquad = [1 \times 2 \times 3 + 2 \times 3 \times 4 - 1 \times 2 \times 3 + 3 \times 4 \times 5$

$\qquad - 2 \times 3 \times 4 + \cdots + 100 \times 101 \times 102 - 99$

$\qquad \times 100 \times 101] \div 3$

$\qquad = 100 \times 101 \times 102 \div 3$

$\qquad = 343400.$

说明：本题可以推广为一般公式：

$$1 \times 2 + 2 \times 3 + 3 \times 4 + \cdots + n \times (n+1) = n \times (n+1)$$
$$\times (n+2) \div 3.$$

【例4】 计算：$\underbrace{111\cdots11}_{18 \uparrow 1}{}^{2}$

解：因为

$$111111111 = 9 \times 12345679,$$

于是有

$$\text{原式} = \underbrace{111\cdots11}_{18 \uparrow 1} \times \underbrace{111\cdots11}_{18 \uparrow 1}$$

$$= \underbrace{111\cdots11}_{18 \uparrow 1} \times (9 \times 12345679012345679)$$

（由乘法结合律）

$$= (\underbrace{111\cdots11}_{18 \uparrow 1} \times 9) \times 12345679012345679$$

$$= \underbrace{999\cdots99}_{18 \uparrow 9} \times 12345679012345679$$

$$= (\underbrace{1\,000\cdots00}_{18 \uparrow 0} - 1) \times 12345679012345679$$

$$= 12345679012345678987654320987654321.$$

【例5】 在下面各数之间，填上适当的运算符号和括号，使等式成立：10 6 9 3 2 ＝48（1994年北京市小学生"迎春杯"决赛试题）

解：填法不唯一．下面给出几种常见的填法：

$10 \times 6 - (9-3) \times 2 = 48$；

$(10+6) \times (9-3 \times 2) = 48$；

$10 + 6 \times (9-3) + 2 = 48$；

$10 \times (6+9) \div 3 - 2 = 48$；

$(10+6) \times (9-3) \div 2 = 48$．

说明：在欧美流行一种数学游戏：试用 4 个给定的自然数经过四则运算的结果等于 24．本例与这种游戏是类似的，它们对于发展学生的数学思维是十分有益的.

【例6】 右图中六个小圆圈中的三个分别填有 15、26、31 三个数. 而这三个数分别等于和它相邻的两个空白圆圈里的数的和，那么，填在三个空白圆圈里的数中，最小的一个数是_____.

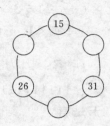

解：设15与26之间的圆圈里的数是

$$a,$$

26 与 31 之间的圆圈里的数是 b，

15 与 31 之间的圆圈里的数是 c，

依题意，有

$$a+b=26, \qquad b+c=31, \qquad a+c=15;$$

于是可知 $2(a+b+c)=26+31+25$，

即 $$a+b+c=36;$$

因此，最小数是： $a=36-31=5.$

【例7】 已知算术式 $\overline{abcd}-\overline{efgh}=1994$，其中 $\overline{abcd}$、$\overline{efgh}$ 均为四位数；a、b、c、d、e、f、g、h 是 0、1、2、…、9 中的 8 个不同整数且 $a\neq0$，$e\neq0$. 那么 $\overline{abcd}$ 与 $\overline{efgh}$ 之和的最大值是_____，最小值是_____.

分析 本题可转化为如下数字迷：

$$
\begin{array}{r}
e\ f\ g\ h \\
+)\ 1\ 9\ 9\ 4 \\
\hline
a\ b\ c\ d
\end{array}
$$

解：先确定 $g=0$，$c=9$.

假设竖式加法中，十位数字 $g\neq0$ 或者个位数字 $h+4\geqslant10$，则百位上的数字 $b=f$，不合题意. 因此，可以推断 $g=0$ 且 $h+4<10$. 于是 $c=9$.

又由 $\overline{abcd} = \overline{efgh} + 1994$ 可知，$\overline{abcd}$ 与 $\overline{efgh}$ 同时增大且同时减小．为了使 $A = \overline{abcd} + \overline{efgh}$ 尽可能大，首先应该使首位数字 a 尽可能大，考虑到字母 $c = 9 \neq a$，则取 $a = 8$，而 $f \neq 0 = g$ 且 $f = b + 1$，故有 $f + 9 > 10$，于是 $e = 6$；其次应该使百位数字 b 尽可能大，由 b 与 f 是相邻自然数，则取 $b = 4$、$f = 5$；最后令个位数字 d 尽可能大，则取 $d = 7$，故有 $h = 3$．这样就得到 A 的最大值为：$8497 + 6503 = 15000$．

类似地，要使 A 尽可能小，依次取 $a = 3$、$e = 1$，$b = 4$，$f = 5$，$d = 6$，$h = 2$．这样就得到 A 的最小值为：
$$3496 + 1502 = 4998.$$

【例 8】　如右图，AB、CD、EF、MN 互相平行，则右图中梯形的个数与三角形的个数相差多少？

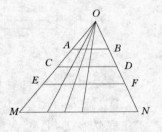

解：首先计算右图中三角形的个数．由于所有三角形都以 O 点为顶点；且以 AB 或 CD 或 EF 或 MN 上的线段为底的三角形各有：
$$4 + 3 + 2 + 1 = 10 \text{（个）}.$$

因此，图中一共有三角形：
$$10 \times 4 = 40 \text{（个）}.$$

其次计算上图中梯形的个数．由于从 AB、CD、EF、MN 中任意选出两条为上、下底时各有梯形：
$$4 + 3 + 2 + 1 = 10 \text{（个）}.$$

而从 4 条线段中选出两条线段的不同选法有
$$(4 \times 3) \div 2 = 6 \text{（种）},$$

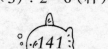

所以，上页图中一共有梯形

$$10 \times 6 = 60 \text{（个）.}$$

于是上页图中梯形个数与三角形个数相差

$$60 - 40 = 20 \text{（个）.}$$

【例9】 如下图（1），由 18 个边长相等的正方形组成的长方形 $ABCD$ 中，包含"＊"在内的长方形及正方形一共有多少个？

分析 本题是有条件限制的几何图形的计数问题，为了不重不漏，必须适当分类计算.

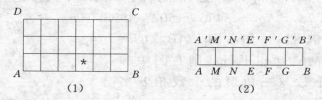

（1）　　　　　　　（2）

解：按照竖直方向上线段的长度分三类进行计数：

① 高是 1 个单位长度（如上图（2））时，实质上是计算在底边 AB 上包含线段 EF 的线段数. 为了方便起见，又分四种情况讨论：

1° 包含 $AFF'A'$ 的长方形有 $AFF'A'$、$AGG'A'$、$ABB'A'$，共 3 个；

2° 包含 $MFF'M'$ 的长方形（不在 1° 中的）有 $MFF'M'$、$MGG'M'$、$MBB'M'$，共 3 个；

3° 包含 $NFF'N'$ 的长方形（不在 1°、2° 中的）有 $NFF'N'$、$NGG'N'$、$NBB'N'$，共 3 个；

4° 包含 $EFF'E'$ 的长方形及正方形（不在 1°、2°、3° 中的）有 $EFF'E'$、$EGG'E'$、$EBB'E'$，共 3 个.

总计包含"＊"的长方形及正方形有：

$$3 \times 4 = 12 \ (个).$$

② 高是 2 个单位长度（如下图 (1)）时，类似情况 (1)，总计包含 "∗" 的长方形及正方形有：

$$3 \times 4 = 12 \ (个).$$

（1）

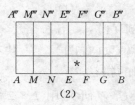

（2）

③ 高是 3 个单位长度（如上图 (2)）时，总计包含 "∗" 的长方形及正方形也有：

$$3 \times 4 = 12 \ (个).$$

综上所述，长方形 ABCD 中包含 "∗" 的长方形及正方形一共有：

$$12 \times 3 = 36 \ (个).$$

【例 10】　如右图，在 5×8 的长方形中，挖去一个 1×4 的长条（阴影部分）．请把它划分成两部分，使它们能拼成一个正方形．

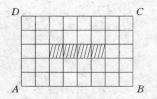

解：从长方形 ABCD 中挖去阴影部分后剩下的面积是

$$5 \times 8 - 4 = 36.$$

由此可知，拼成的正方形的边长是 6.

根据这一要求，并且考虑分成的两部分如何拼合，就会得出如下用虚线表示的划分（如下图 (1) 所示）：

用上述划分后拼成的正方形如下图 (2).

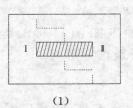 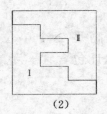

（1）　　　　　　　　　　（2）

【例 11】　用 6 个 1×2 的长方形拼成一个 2×6 的长方形（如右图），一共有多少种不同的拼法.

1	2	3	4	5	6
7	8	9	10	11	12

分析　研究用 1×2 的长方形拼成 2×n 的长方形的方法，从简单情况入手，逐次讨论：

① 当 n＝1 时，显然只有 1 种拼法；

② 当 n＝2 时，2×2 的长方形有下图（a）及图（b）两种不同的拼法；

（a）　　　　　　　　　　（b）

③ 当 n＝3 时，2×3 的长方形的拼合问题分两类（如下图（c）及图（d））：

（c）　　　　　　　　　　（d）

图（c）即转化为 2×1 的长方形拼合问题，由①可知，仅有一种拼法；上图（d）即转化为 2×2 的长方形拼合问题，由②可知仅有 2 种拼法．于是 2×3 的长方形的拼法一共有：

$$1+2=3\text{（种）；}$$

④　当 $n=4$ 时，2×4 的长方形的拼合问题亦分为两类（如图(e)及图(f)）：

1	2	3	4
5	6	7	8

(e)

1	2	3	4
5	6	7	8

(f)

图（e）即转化为 2×2 长方形拼合问题，图（f）即转化为 2×3 长方形拼合问题，由②和③可知，2×4 长方形的拼合方法一共有：

$$2+3=5\text{（种）；}$$

⑤　当 $n=5$ 时，类似③、④的情况两类拼法，2×5 的长方形的拼法一共有：

$$3+5=8\text{（种）；}$$

⑥　当 $n=6$ 时，2×6 的长方形的拼法一共有：

$$5+8=13\text{（种）．}$$

说明：上述解决问题的方法常称为归纳递推的方法，今后还要专门介绍．

【例 12】　某车间原有工人不少于 63 人．在 1 月底以前的某一天调进了若干工人，以后，每天都再调 1 人进车间工作．现知该车间 1 月份每人每天生产一件产品，共生产 1994 件．试问：1 月几号开始调进工人？共调进了多少工人？

解：因为原有工人不少于 63 人，并且

$$1994=63\times31+41，$$

$$1994 = 64 \times 31 + 10,$$

$$1994 < 65 \times 31,$$

所以，这个车间原有工人不多于 64 人，即这个车间原有工人 63 人或 64 人.

这个车间原有工人 1 月份完成产品是

$$63 \times 31 = 1953 \text{ 或 } 64 \times 31 = 1984 \text{（件）.}$$

于是可知，余下的 41 件或 10 件产品应该表示为连续自然数之和. 据已知，不能是 1 月 31 日调进工人，设第一天调进 x 名工人，共调入 n 天，那么显然 $2 \leqslant n \leqslant 8$. 事实上，九个连续自然数之和最小为

$$1 + 2 + 3 + 4 + 5 + 6 + 7 + 8 + 9 = 45 > 41.$$

经检验，当 $n = 2$ 时 $x = 20$，并且有：

$$20 + 21 = 41;$$

当 $n = 4$ 时 $x = 1$，并且有：

$$1 + 2 + 3 + 4 = 10.$$

答：从 1 月 30 日开始调进工人，共调进工人 21 名；或者从 1 月 28 日开始调进工人，共调进工人 4 人.

说明：本题是用于考查学生掌握连续自然数求和及解决实际问题的能力.

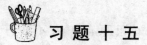 习 题 十 五

1. 计算：$1 - 2 + 3 - 4 + 5 - 6 + \cdots - 98 + 99$

2. 计算：$88888 \times 88888 \div (1 + 2 + 3 + 4 + 5 + 6 + 7 + 8 + 7 + 6 + 5 + 4 + 3 + 2 + 1)$

3. 计算：$11 \times 12 + 12 \times 13 + 13 \times 14 + \cdots + 50 \times 51$

4. 设 $n = \underbrace{111\cdots11}_{27\text{个}1}{}^2$，那么 n 的各位数字之和是

_____.

5．试在 15 个 8 之间适当的位置填上适当的运算符号 ＋、－、×、÷，使运算结果等于 1986：

888888888888888 = 1986.

6．在右图中所示的三角形三边之 长互不相等，现在要将 1，2，3，4， 5，6 这六个数分别填入三个顶点及每 条边的中点的圆圈内，如果要使每条 边上的三个数字之和都等于 10，那么 符合上述条件的不同填法一共有多么种？

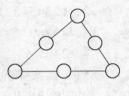

7．一个四位数 $\overline{abcd}$，它的 9 倍恰好是它的反序数 $\overline{dcba}$（例如：123 的反序数是 321）．试求这个四位数 $\overline{abcd}$．

8．下图（1）中每个小方格都是正方形，那么下图 （1）中大大小小的正方形一共有多少个？

（1）

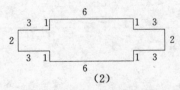

（2）

9．将上页图（2）分割成四个形状和大小相同的图 形，然后将分得的四个图形拼合成一个正方形．

10．某工厂 11 月份工作忙，星期日不休息，而且从 第一天开始，每天都从总厂陆续派相同人数的工人到分 厂工作，直到月底，总厂还剩工人 240 人．如果月底统 计总厂工人的工作量是 8070 个工作日（1 人工作 1 天为 1 个工作日），且无 1 人缺勤．那么，这月由总厂派到分 厂工作的工人共_____人．

习题十五解答

1．50.

2．123454321.

3．43760.

4．243.

5．（答案不惟一）

   $8888 \div 8 + 888 - 88 \div 8 - 8 \div 8 - 8 \div 8 = 1986.$

6．6 种.

7．1089.

8．70.

9．分法不惟一；下图即为一种分法

10．60.

下册

第 **1** 讲　乘法原理

　　在日常生活中常常会遇到这样一些问题，就是在做一件事时，要分几步才能完成，而在完成每一步时，又有几种不同的方法，要知道完成这件事一共有多少种方法，就用我们将讨论的乘法原理来解决．

　　例如　某人要从北京到大连拿一份资料，之后再到天津开会．其中，他从北京到大连可以乘长途汽车、火车或飞机，而他从大连到天津却只想乘船．那么，他从北京经大连到天津共有多少种不同的走法？

　　分析这个问题发现，某人从北京到天津要分两步走．第一步是从北京到大连，可以有三种走法，即：

第二步是从大连到天津，只选择乘船这一种走法，所以他从北京到天津共有下面的三种走法：

注意到 $3 \times 1 = 3$.

如果此人到大连后，可以乘船或飞机到天津，那么他从北京到天津则有以下的走法：

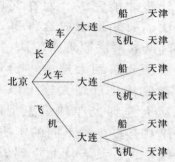

共有六种走法，注意到 $3 \times 2 = 6$.

在上面讨论问题的过程中，我们把所有可能的办法一一列举出来. 这种方法叫穷举法. 穷举法对于讨论方法数不太多的问题是很有效的.

在上面的例子中，完成一件事要分两个步骤. 由穷举法得到的结论看到，用第一步所有的可能方法数乘以第二步所有的可能方法数，就是完成这件事所有的方法数.

一般地，如果完成一件事需要 n 个步骤，其中，做第一步有 m_1 种不同的方法，做第二步有 m_2 种不同的方法，…，做第 n 步有 m_n 种不同的方法，那么，完成这件事一共有

$$N = m_1 \times m_2 \times \cdots \times m_n$$

种不同的方法.

这就是乘法原理.

【例1】 某人到食堂去买饭，主食有三种，副食有五种，他主食和副食各买一种，共有多少种不同的买法？

分析 某人买饭要分两步完成，即先买一种主食，再买一种副食（或先买副食后买主食）. 其中，买主食有3种不同的方法，买副食有5种不同的方法. 故可以由乘法原理解决.

解： 由乘法原理，主食和副食各买一种共有 $3 \times 5 = 15$ 种不同的方法.

补充说明：由例题可以看出，乘法原理运用的范围是：①这件事要分几个彼此互不影响的独立步骤来完成；②每个步骤各有若干种不同的方法来完成. 这样的问题就可以使用乘法原理解决问题.

【例2】 右图中有7个点和十条线段，一只甲虫要从 A 点沿着线段爬到 B 点，要求任何线段和点不得重复经过. 问：这只甲虫最多有几种不同的走法？

分析 甲虫要从 A 点沿线段爬到 B 点，必经过 C 点，所以，完成这段路分两步，即由 A 到 C，再由 C 到 B. 而由 A 到 C 有三种走法，由 C 到 B 也有三种走法，所以，由乘法原理便可得到结论.

解： 这只甲虫从 A 到 B 共有 $3 \times 3 = 9$ 种不同的走法.

【例3】 书架上有 6 本不同的外语书，4 本不同的语文书，从中任取外语、语文书各一本，有多少种不同的取法？

分析 要做的事情是从外语、语文书中各取一本．完成它要分两步：即先取一本外语书（有 6 种取法），再取一本语文书（有 4 种取法）．（或先取语文书，再取外语书．）所以，用乘法原理解决．

解：从架上各取一本共有 $6 \times 4 = 24$ 种不同的取法．

【例4】 王英、赵明、李刚三人约好每人报名参加学校运动会的跳远、跳高、100 米跑、200 米跑四项中的一项比赛，问：报名的结果会出现多少种不同的情形？

分析 三人报名参加比赛，彼此互不影响独立报名．所以可以看成是分三步完成，即一个人一个人地去报名．首先，王英去报名，可报 4 个项目中的一项，有 4 种不同的报名方法．其次，赵明去报名，也有 4 种不同的报名方法．同样，李刚也有 4 种不同的报名方法．满足乘法原理的条件，可由乘法原理解决．

解：由乘法原理，报名的结果共有 $4 \times 4 \times 4 = 64$ 种不同的情形．

【例5】 由数字 0、1、2、3 组成三位数，问：
① 可组成多少个不相等的三位数？
② 可组成多少个没有重复数字的三位数？

分析 在确定由 0、1、2、3 组成的三位数的过程中，应该一位一位地去确定．所以，每个问题都可以看成是分三个步骤来完成．

①要求组成不相等的三位数．所以，数字可以重复使用，百位上，不能取 0，故有 3 种不同的取法；十位上，可以在四个数字中任取一个，有 4 种不同的取法；个位上，也有 4 种不同的取法，由乘法原理，共可组成 $3 \times 4 \times 4 = 48$ 个不相等的三位数．

②要求组成的三位数中没有重复数字，百位上，不能取 0，有 3 种不同的取法；十位上，由于百位已在 1、2、3 中取走一个，故只剩下 0 和其余两个数字，故有 3 种取法；个位上，由于百位和十位已各取走一个数字，故只能在剩下的两个数字中取，有 2 种取法，由乘法原理，共有 $3 \times 3 \times 2 = 18$ 个没有重复数字的三位数．

解：由乘法原理

①共可组成　$3 \times 4 \times 4 = 48$（个）不同的三位数；

②共可组成　$3 \times 3 \times 2 = 18$（个）没有重复数字的三位数．

【例 6】　由数字 1、2、3、4、5、6 共可组成多少个没有重复数字的四位奇数？

分析　要组成四位数，需一位一位地确定各个数位上的数字，即分四步完成，由于要求组成的数是奇数，故个位上只有能取 1、3、5 中的一个，有 3 种不同的取法；十位上，可以从余下的五个数字中取一个，有 5 种取法；百位上有 4 种取法；千位上有 3 种取法，故可由乘法原理解决．

解：由 1、2、3、4、5、6 共可组成

$3 \times 4 \times 5 \times 3 = 180$

个没有重复数字的四位奇数．

【例 7】　右图中共有 16 个方格，要把 A、B、C、

D 四个不同的棋子放在方格里，并使每行每列只能出现一个棋子. 问：共有多少种不同的放法？

分析 由于四个棋子要一个一个地放入方格内，故可看成是分四步完成这件事. 第一步放棋子 A，A 可以放在 16 个方格中的任意一个中，故有 16 种不同的放法；第二步放棋子 B，由于 A 已放定，那么放 A 的那一行和一列中的其他方格内也不能放 B，故还剩下 9 个方格可以放 B，B 有 9 种放法；第三步放 C，再去掉 B 所在的行和列的方格，还剩下四个方格可以放 C，C 有 4 种放法；最后一步放 D，再去掉 C 所在的行和列的方格，只剩下一个方格可以放 D，D 有 1 种放法，本题要由乘法原理解决.

解：由乘法原理，共有

$$16 \times 9 \times 4 \times 1 = 576$$

种不同的放法.

【例 8】 现有一角的人民币 4 张，贰角的人民币 2 张，壹元的人民币 3 张，如果从中至少取一张，至多取 9 张，那么，共可以配成多少种不同的钱数？

分析 要从三种面值的人民币中任取几张，构成一个钱数，需一步一步地来做. 如先取一角的，再取贰角的，最后取壹元的. 但注意到，取 2 张一角的人民币和取 1 张贰角的人民币，得到的钱数是相同的. 这就会产生重复，如何解决这一问题呢？我们可以把壹角的人民币 4 张和贰角的人民币 2 张统一起来考虑. 即从中取出几张组成一种面值，看共可以组成多少种. 分析知，共可以组成从壹角到捌角间的任何一种面值，共 8 种情况.

（即取两张壹角的人民币与取一张贰角的人民币是一种情况；取 4 张壹角的人民币与取 2 张贰角的人民币是一种情况.）这样一来，可以把它们看成是 8 张壹角的人民币. 整个问题就变成了从 8 张壹角的人民币和 3 张壹元的人民币中分别取钱. 这样，第一步，从 8 张壹角的人民币中取，共 9 种取法，即 0、1、2、3、4、5、6、7、8；第二步，从 3 张壹元的人民币中取共 4 种取法，即 0、1、2、3. 由乘法原理，共有 $9 \times 4 = 36$ 种情形，但注意到，要求"至少取一张"而现在包含了一张都不取的这一种情形，应减掉.

解：取出的总钱数是

$9 \times 4 - 1 = 35$ 种不同的情形.

 习　题　一

1. 某罪犯要从甲地途经乙地和丙地逃到丁地，现在知道从甲地到乙地有 3 条路可以走，从乙地到丙地有 2 条路可以走，从丙地到丁地有 4 条路可以走. 问，罪犯共有多少种逃走的方法？

2. 如右图，在三条平行线上分别有一个点，四个点，三个点（且不在同一条直线上的三个点不共线）. 在每条直线上各取一个点，可以画出一个三角形. 问：一共可以画出多少个这样的三角形？

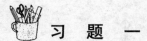

3. 在自然数中，用两位数做被减数，用一位数做减数. 共可以组成多少个不同的减法算式？

4．一个篮球队，五名队员 A、B、C、D、E，由于某种原因，C 不能做中锋，而其余四人可以分配到五个位置的任何一个上．问：共有多少种不同的站位方法？

5．由数字 1、2、3、4、5、6、7、8 可组成多少个

①三位数？

②三位偶数？

③没有重复数字的三位偶数？

④百位为 8 的没有重复数字的三位数？

⑤百位为 8 的没有重复数字的三位偶数？

6．某市的电话号码是六位数的，首位不能是 0，其余各位数上可以是 0～9 中的任何一个，并且不同位上的数字可以重复．那么，这个城市最多可容纳多少部电话机？

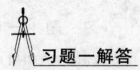

习题一解答

1．$3 \times 2 \times 4 = 24$（种）．

2．$1 \times 4 \times 3 = 12$（个）．

3．$90 \times 9 = 810$（个）．

4．$4 \times 4 \times 3 \times 2 \times 1 = 96$（种）．

5．①$8 \times 8 \times 8 = 512$（个）；

　　②$4 \times 8 \times 8 = 256$（个）；

　　③$4 \times 7 \times 6 = 168$（个）；

　　④$1 \times 7 \times 6 = 42$（个）；

　　⑤$1 \times 3 \times 6 = 18$（个）．

6．$9 \times 10 \times 10 \times 10 \times 10 \times 10 = 900000$（部）．

第2讲 加法原理

　　生活中常有这样的情况，就是在做一件事时，有几类不同的方法，而每一类方法中，又有几种可能的做法．那么，考虑完成这件事所有可能的做法，就要用我们将讨论的加法原理来解决．

　　例如　某人从北京到天津，他可以乘火车也可以乘长途汽车，现在知道每天有五次火车从北京到天津，有4趟长途汽车从北京到天津．那么他在一天中去天津能有多少种不同的走法？

　　分析这个问题发现，此人去天津要么乘火车，要么乘长途汽车，有这两大类走法，如果乘火车，有5种走法，如果乘长途汽车，有4种走法．上面的每一种走法都可以从北京到天津，故共有 $5+4=9$ 种不同的走法．

　　在上面的问题中，完成一件事有两大类不同的方法．在具体做的时候，只要采用一类中的一种方法就可以完成．并且两大类方法是互无影响的，那么完成这件事的全部做法数就是用第一类的方法数加上第二类的方法数．

　　一般地，如果完成一件事有 k 类方法，第一类方法中有 m_1 种不同做法，第二类方法中有 m_2 种不同做法，…，第 k 类方法中有 m_k 种不同的做法，则完成这件事共有

$$N = m_1 + m_2 + \cdots + m_k$$

种不同的方法．

　　这就是加法原理．

157

【例1】 学校组织读书活动，要求每个同学读一本书．小明到图书馆借书时，图书馆有不同的外语书150本，不同的科技书200本，不同的小说100本．那么，小明借一本书可以有多少种不同的选法？

分析 在这个问题中，小明选一本书有三类方法．即要么选外语书，要么选科技书，要么选小说．所以，是应用加法原理的问题．

解：小明借一本书共有：

$$150 + 200 + 100 = 450 （种）$$

不同的选法．

【例2】 一个口袋内装有3个小球，另一个口袋内装有8个小球，所有这些小球颜色各不相同．

问：①从两个口袋内任取一个小球，有多少种不同的取法？

②从两个口袋内各取一个小球，有多少种不同的取法？

分析 ①中，从两个口袋中只需取一个小球，则这个小球要么从第一个口袋中取，要么从第二个口袋中取，共有两大类方法．所以是加法原理的问题．

②中，要从两个口袋中各取一个小球，则可看成先从第一个口袋中取一个，再从第二个口袋中取一个，分两步完成，是乘法原理的问题．

解：①从两个口袋中任取一个小球共有

$$3 + 8 = 11 （种），$$

不同的取法．

②从两个口袋中各取一个小球共有

$3 \times 8 = 24$（种）

不同的取法.

补充说明：由本题应注意加法原理和乘法原理的区别及使用范围的不同，乘法原理中，做完一件事要分成若干个步骤，一步接一步地去做才能完成这件事；加法原理中，做完一件事可以有几类方法，每一类方法中的一种做法都可以完成这件事.

事实上，往往有许多事情是有几大类方法来做的，而每一类方法又要由几步来完成，这就要熟悉加法原理和乘法原理的内容，综合使用这两个原理.

【例 3】 如右图，从甲地到乙地有4 条路可走，从乙地到丙地有 2 条路可走，从甲地到丙地有 3 条路可走. 那么，从甲地到丙地共有多少种走法？

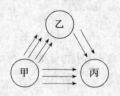

分析 从甲地到丙地共有两大类不同的走法.

第一类，由甲地途经乙地到丙地. 这时，要分两步走，第一步从甲地到乙地，有 4 种走法；第二步从乙地到丙地共 2 种走法，所以由乘法原理，这时共有 $4 \times 2 = 8$ 种不同的走法.

第二类，由甲地直接到丙地，由条件知，有 3 种不同的走法.

解：由加法原理知，由甲地到丙地共有：

$4 \times 2 + 3 = 11$（种）

不同的走法.

【例 4】 如下页图，一只小甲虫要从 A 点出发沿着线段爬到 B 点，要求任何点和线段不可重复经过. 问：

这只甲虫有多少种不同的走法？

分析 从 A 点到 B 点有两类走法，一类是从 A 点先经过 C 点到 B 点，一类是从 A 点先经过 D 点到 B 点．两类中的

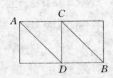

每一种具体走法都要分两步完成，所以每一类中，都要用乘法原理，而最后计算从 A 到 B 的全部走法时，只要用加法原理求和即可．

解：从 A 点先经过 C 到 B 点共有：

$1 \times 3 = 3$（种）

不同的走法．

从 A 点先经过 D 到 B 点共有：

$2 \times 3 = 6$（种）

不同的走法．

所以，从 A 点到 B 点共有：

$3 + 6 = 9$（种）

不同的走法．

【例 5】 有两个相同的正方体，每个正方体的六个面上分别标有数字 1、2、3、4、5、6．将两个正方体放到桌面上，向上的一面数字之和为偶数的有多少种情形？

分析 要使两个数字之和为偶数，只要这两个数字的奇偶性相同，即这两个数字要么同为奇数，要么同为偶数，所以，要分两大类来考虑．

第一类，两个数字同为奇数．由于放两个正方体可认为是一个一个地放．放第一个正方体时，出现奇数有三种可能，即 1，3，5；放第二个正方体，出现奇数也有三种可能，由乘法原理，这时共有 $3 \times 3 = 9$ 种不同的情形．

第二类，两个数字同为偶数，类似第一类的讨论方法，也有 $3 \times 3 = 9$ 种不同情形.

最后再由加法原理即可求解.

解：两个正方体向上的一面同为奇数共有

$3 \times 3 = 9$（种）

不同的情形；

两个正方体向上的一面同为偶数共有

$3 \times 3 = 9$（种）

不同的情形.

所以，两个正方体向上的一面数字之和为偶数的共有

$3 \times 3 + 3 \times 3 = 18$（种）

不同的情形.

【例 6】 从 1 到 500 的所有自然数中，不含有数字 4 的自然数有多少个？

分析 从 1 到 500 的所有自然数可分为三大类，即一位数，两位数，三位数.

一位数中，不含 4 的有 8 个，它们是 1、2、3、5、6、7、8、9；

两位数中，不含 4 的可以这样考虑：十位上，不含 4 的有 1、2、3、5、6、7、8、9 这八种情况. 个位上，不含 4 的有 0、1、2、3、5、6、7、8、9 这九种情况，要确定一个两位数，可以先取十位数，再取个位数，应用乘法原理，这时共有 $8 \times 9 = 72$ 个数不含 4.

三位数中，小于 500 并且不含数字 4 的可以这样考虑：百位上，不含 4 的有 1、2、3、这三种情况. 十位上，不含 4 的有 0、1、2、3、5、6、7、8、9 这九种情况，个位上，不含 4 的也有九种情况. 要确定一个三位

数, 可以先取百位数, 再取十位数, 最后取个位数, 应用乘法原理, 这时共有 $3 \times 9 \times 9 = 243$ 个三位数. 由于 500 也是一个不含 4 的三位数. 所以, $1 \sim 500$ 中, 不含 4 的三位数共有 $3 \times 9 \times 9 + 1 = 244$ 个.

解: 在 $1 \sim 500$ 中, 不含 4 的一位数有 8 个; 不含 4 的两位数有 $8 \times 9 = 72$ 个; 不含 4 的三位数有 $3 \times 9 \times 9 + 1 = 244$ 个, 由加法原理, 在 $1 \sim 500$ 中, 共有:

$$8 + 8 \times 9 + 3 \times 9 \times 9 + 1 = 324 （个）$$

不含 4 的自然数.

补充说明: 这道题也可以这样想: 把一位数看成是前面有两个 0 的三位数, 如: 把 1 看成是 001. 把两位数看成是前面有一个 0 的三位数. 如: 把 11 看成 011. 那么所有的从 1 到 500 的自然数都可以看成是"三位数", 除去 500 外, 考虑不含有 4 的这样的"三位数". 百位上, 有 0、1、2、3 这四种选法; 十位上, 有 0、1、2、3、5、6、7、8、9 这九种选法; 个位上, 也有九种选法. 所以, 除 500 外, 有 $4 \times 9 \times 9 = 324$ 个不含 4 的"三位数". 注意到, 这里面有一个数是 000, 应该去掉. 而 500 还没有算进去, 应该加进去. 所以, 从 1 到 500 中, 不含 4 的自然数仍有 324 个.

这是一种特殊的思考问题的方法, 注意到当我们对"三位数"重新给予规定之后, 问题很简捷地得到解决.

【例 7】 如下页左图, 要从 A 点沿线段走到 B, 要求每一步都是向右、向上或者向斜上方. 问有多少种不同的走法?

分析 观察下页左图, 注意到, 从 A 到 B 要一直向右、向上, 那么, 经过下页右图中 C、D、E、F 四点中的某一点的路线一定不再经过其他的点. 也就是说从 A 到 B 点的路线共分为四类, 它们是分别经过 C、D、E、F 的路线.

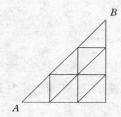 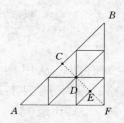

第一类, 经过 C 的路线, 分为两步, 从 A 到 C 再从 C 到 B, 从 A 到 C 有 2 条路可走, 从 C 到 B 也有两条路可走, 由乘法原理, 从 A 经 C 到 B 共有 $2 \times 2 = 4$ 条不同的路线.

第二类, 经过 D 点的路线, 分为两步, 从 A 到 D 有 4 条路, 从 D 到 B 有 4 条路. 由乘法原理, 从 A 经 D 到 B 共有 $4 \times 4 = 16$ 种不同的走法.

第三类, 经过 E 点的路线, 分为两步, 从 A 到 E 再从 E 到 B, 观察发现. 各有一条路. 所以, 从 A 经 E 到 B 共有 1 种走法.

第四类, 经过 F 点的路线, 从 A 经 F 到 B 只有一种走法.

最后由加法原理即可求解.

解: 如上右图, 从 A 到 B 共有下面的走法:

从 A 经 C 到 B 共有 $2 \times 2 = 4$ 种走法;

从 A 经 D 到 B 共有 $4 \times 4 = 16$ 种走法;

从 A 经 E 到 B 共有 1 种走法;

从 A 经 F 到 B 共有 1 种走法.

所以，从 A 到 B 共有：

$$4 + 16 + 1 + 1 = 22$$

种不同的走法．

 习 题 二

1．如右图，从甲地到乙地有三条路，从乙地到丙地有三条路，从甲地到丁地有两条路，从丁地到丙地有四条路，问：从甲地到丙地共有多少种走法？

2．书架上有 6 本不同的画报和 7 本不同的书，从中最多拿两本（不能不拿），有多少种不同的拿法？

3．如下图中，沿线段从点 A 走最短的路线到 B，各有多少种走法？

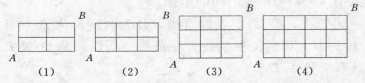

（1）　　　（2）　　　（3）　　　（4）

4．在 1～1000 的自然数中，一共有多少个数字 0？

5．在 1～500 的自然数中，不含数字 0 和 1 的数有多少个？

6．十把钥匙开十把锁，但不知道哪把钥匙开哪把锁，问：最多试开多少次，就能把锁和钥匙配起来？

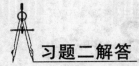习题二解答

1．$3 \times 3 + 2 \times 4 = 17$（种）．

2．$6 + 7 + 15 + 21 + 6 \times 7 = 91$（种）．

提示：拿两本的情况分为 2 本画报或 2 本书或一本画报一本书．

3．（1）6；　　　（2）10；

　　（3）20；　　（4）35．

4．$9 + 180 + 3 = 192$（个）．

5．$8 + 8 \times 8 + 3 \times 8 \times 8 = 264$（个）．

6．$9 + 8 + 7 + 6 + 5 + 4 + 3 + 2 + 1 = 45$（次）．

第**3**讲 排 列

在实际生活中常遇到这样的问题，就是要把一些事物排在一起，构成一列，计算有多少种排法．就是排列问题．在排的过程中，不仅与参加排列的事物有关，而且与各事物所在的先后顺序有关．

例如 某客轮航行于天津、青岛、大连三个城市之间．问：应准备有多少种不同船票？

分析这个问题，可以用枚举法解决，三个城市之间，船票有下面六种设置方式：

起点站	终点站	船票
天津	青岛	天津 —— 青岛
	大连	天津 —— 大连
青岛	天津	青岛 —— 天津
	大连	青岛 —— 大连
大连	天津	大连 —— 天津
	青岛	大连 —— 青岛

如果不用枚举法，注意到要准备的船票的种类不仅与所选的两个城市有关，而且与这两个城市作为起点、终点的顺序有关，所以，要考虑共准备多少种不同的船票，就要在三个城市之间每次取出两个，按照起点、终点的顺序排列．

首先确定起点站，在三个城市中，任取一个为起点站，共有三种选法．

166

其次确定终点站，每次确定了一个起点站后，只能从剩下的两个城市之中选终点站，共有两种选法.

由乘法原理，共需准备：

$3 \times 2 = 6$

种不同的船票.

为叙述方便，我们把研究对象（如天津、青岛、大连）看作元素，那么上面的问题就是在三个不同的元素中取出两个，按照一定的顺序排成一列的问题. 我们把每一种排法叫做一个排列（如天津——青岛就是一个排列），把所有排列的个数叫做排列数. 那么上面的问题就是求排列数的问题.

一般地，从 n 个不同的元素中任取出 m 个（$m \leqslant n$）元素，按照一定的顺序排成一列. 叫做从 n 个不同元素中取出 m 个元素的一个排列.

由排列的定义可以看出，两个排列相同，不仅要求这两个排列中的元素完全相同，而且各元素的先后顺序也一样. 如果两个排列的元素不完全相同. 或者各元素的排列顺序不完全一样，则这就是两个不同的排列.

从 n 个不同元素中取出 m 个（$m \leqslant n$）元素的所有排列的个数，叫做从 n 个不同元素中取出 m 个元素的排列数，我们把它记做 P_n^m.

上面的问题要计算从 3 个城市中取出 2 个城市排成一列的排列数，就是要计算 P_3^2. 由上面的计算知：

$P_3^2 = 3 \times 2 = 6$.

一般地，从 n 个不同元素中取出 m 个元素（$m \leqslant n$）排成一列的问题，可以看成是从 n 个不同元素中取出 m 个，排在 m 个不同的位置上的问题，而排列数 P_n^m 就是所有可能排法的个数．那么，每个排列共需要 m 步，而每一步又有若干种不同的方法，排列数 P_n^m 可以这样计算：

第一步：先排第一个位置上的元素，可以从 n 个元素中任选一个，有 n 种不同的选法；

第二步：排第二个位置上的元素．这时，由于第一个位置已用去了一个元素，只剩下（$n-1$）个不同的元素可供选择，共有（$n-1$）种不同的选法；

第三步：排第三个位置上的元素，有（$n-2$）种不同的选法；

……

第 m 步：排第 m 个位置上的元素．由于前面已经排了（$m-1$）个位置，用去了（$m-1$）个元素．这样，第 m 个位置上只能从剩下的〔$n-(m-1)$〕＝（$n-m+1$）个元素中选择，有（$n-m+1$）种不同的选法.

由乘法原理知，共有：

$$n（n-1）（n-2）\cdots（n-m+1）$$

种不同的排法，即：

$$P_n^m = n（n-1）（n-2）\cdots（n-m+1） \qquad (1)$$

这里，$m \leqslant n$，且等号右边从 n 开始，后面每个因数比前一个因数小 1，共有 m 个因数相乘．

【例 1】 计算（1）P_5^3；　　　（2）$P_8^4 - 2P_8^2$.

解： 由排列数公式知：

①$P_5^3 = \underset{\text{3个因数}}{5 \times 4 \times 3} = 60$；

②$P_8^4 = \underset{\text{4个因数}}{8 \times 7 \times 6 \times 5} = 1680$

　　$2P_8^2 = 2 \times \underset{\text{2个因数}}{(8 \times 7)} = 112$

∴ $P_8^4 - 2P_8^2 = 1680 - 112 = 1568.$

【例 2】   有五面颜色不同的小旗，任意取出三面排成一行表示一种信号，问：共可以表示多少种不同的信号？

分析   这里五面不同颜色的小旗就是五个不同的元素，三面小旗表示一种信号，就是有三个位置. 我们的问题就是要从五个不同的元素中取三个，排在三个位置的问题. 由于信号不仅与旗子的颜色有关，而且与不同旗子所在的位置有关，所以是排列问题，且其中 $n = 5$，$m = 3$.

解： 由排列数公式知，共可组成

$$P_5^3 = 5 \times 4 \times 3 = 60$$

种不同的信号.

补充说明：这个问题也可以用乘法原理来做，一般，乘法原理中与顺序有关的问题常常可以用排列数公式做，用排列数公式解决问题时，可避免一步步地分析考虑，使问题简化.

【例 3】   用 1、2、3、4、5、6、7、8 可组成多少个没有重复数字的五位数？

分析   这是一个从 8 个元素中取 5 个元素的排列问题，且知 $n = 8$，$m = 5$.

解： 由排列数公式，共可组成：

$$P_8^5 = \underset{\text{5个因数}}{8 \times 7 \times 6 \times 5 \times 4} = 6720$$

个不同的五位数.

【例 4】   幼儿园里的 6 名小朋友去坐 3 把不同的椅子，有多少种坐法？

分析 在这个问题中，只要把 3 把椅子看成是 3 个位置，而 6 名小朋友作为 6 个不同元素，则问题就可以转化成从 6 个元素中取 3 个，排在 3 个不同位置的排列问题．

解：由排列数公式，共有：

$$P_6^3 = 6 \times 5 \times 4 = 120$$

种不同的坐法．

【例 5】 幼儿园里 3 名小朋友去坐 6 把不同的椅子（每人只能坐一把），有多少种不同的坐法？

分析 与例 4 不同，这次是椅子多而人少，可以考虑把 6 把椅子看成是 6 个元素，而把 3 名小朋友作为 3 个位置．则问题转化为从 6 把椅子中选出 3 把，排在 3 名小朋友面前的排列问题．

解：由排列公式，共有：

$$P_6^3 = 6 \times 5 \times 4 = 120$$

种不同的坐法．

【例 6】 有 4 个同学一起去郊游，照相时，必须有一名同学给其他 3 人拍照，共可能有多少种拍照情况？（照相时 3 人站成一排）

分析 由于 4 人中必须有一个人拍照，所以，每张照片只能有 3 人，可以看成有 3 个位置由这 3 人来站．由于要选一人拍照，也就是要从四个人中选 3 人照相，所以，问题就转化成从四个人中选 3 人，排在 3 个位置中的排列问题．要计算的是有多少种排法．

解：由排列数公式，共可能有：

$$P_4^3 = 4 \times 3 \times 2 = 24$$

种不同的拍照情况.

　　【例7】　4名同学到照相馆照相. 他们要排成一排，问：共有多少种不同的排法？

　　分析　4个人到照相馆照相，那么4个人要分坐在四个不同的位置上. 所以这是一个从4个元素中选4个，排成一列的问题. 这时 $n=4$，$m=4$.

　　解：由排列数公式知，共有

$$P_4^4 = \underset{4个因数}{4 \times 3 \times 2 \times 1} = 24$$

种不同的排法.

　　一般地，对于 $m=n$ 的情况，排列数公式变为

$$P_n^n = n(n-1)(n-2) \cdots 3 \cdot 2 \cdot 1 \qquad (2)$$

表示从 n 个不同元素中取 n 个元素排成一列所构成排列的排列数.

　　这种 n 个排列全部取出的排列，叫做 n 个不同元素的全排列.

　　（2）式右边是从 n 开始，后面每一个因数比前一个因数小1，一直乘到1的乘积，记为 $n!$，读做 n 的阶乘，则（2）式可以写为：

$$P_n^n = n!$$

　　其中　$n! = n(n-1)(n-2) \cdots 3 \cdot 2 \cdot 1$.

　　【例8】　9名同学站成两排照相，前排4人，后排5人，共有多少种站法？

　　分析　如果问题是9名同学站成一排照相，则是9个元素的全排列的问题，有 P_9^9 种不同站法. 而问题中，9个人要站成两排，这时可以这么想，把9个人排成一排后，左边4个人站在前排，右边5个人站在后排，所以

实质上，还是 9 个人站 9 个位置的全排列问题.

解：由全排列公式，共有

$$P_9^9 = 9!$$
$$= 9 \times 8 \times 7 \times 6 \times 5 \times 4 \times 3 \times 2 \times 1$$
$$= 362880$$

种不同的排法.

【例 9】　5 个人并排站成一排，其中甲必须站在中间有多少种不同的站法？

分析　由于甲必须站在中间，那么问题实质上就是剩下的四个人去站其余四个位置的问题，是一个全排列问题，且 $n = 4$.

解：由全排列公式，共有

$$P_4^4 = 4! = 4 \times 3 \times 2 \times 1 = 24$$

种不同的站法.

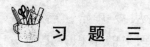 习　题　三

1. 计算

① P_6^2；　　　　　　　　② $P_{14}^3 - P_{14}^2$；

③ $3P_5^3 - P_4^4$；　　　　　④ $(6 \times P_{12}^6) \div P_{12}^7$.

2. 某铁路线共有 14 个车站，这条铁路线共需要多少种不同的车票.

3. 有红、黄、蓝三种信号旗，把任意两面上、下挂在旗杆上都可以表示一种信号，问共可以组成多少种不同的信号？

4. 班集体中选出了 5 名班委，他们要分别担任班长，

学习委员、生活委员、宣传委员和体育委员．问：有多少种不同的分工方式？

5．由数字 1、2、3、4、5、6 可以组成多少没有重复数字的

①三位数？

②个位是 5 的三位数？

③百位是 1 的五位数？

④六位数？

 习题三解答

1．（1）30； 　　（2）2002； 　　（3）156； 　　（4）1.

2．$P_{14}^2 = 182$；

3．$P_3^2 = 6$；

4．$P_5^5 = 120$；

5．①$P_6^3 = 120$； 　　　　　②$P_5^2 = 20$；

　　③$P_5^4 = 120$； 　　　　　④$P_6^6 = 720$.

第4讲 组　　合

　　日常生活中有很多"分组"问题．如在体育比赛中，把参赛队分为几个组，从全班同学中选出几人参加某项活动等等．这种"分组"问题，就是我们将要讨论的组合问题，这里，我们将着重研究有多少种分组方法的问题．

　　例如　某客轮航行于天津、青岛、大连三个城市之间．那么，船票共有几种价格（往返票价相同）？

　　注意到由天津到青岛的票价与从青岛到天津的票价是一样的，所以问题实际上就是计算从三个城市中取两个城市，有多少种不同的取法，即这时只与考虑的两个城市有关而与两个城市的顺序无关．

　　由枚举法知，共有下面的三种票价：

　　天津　⟷　　青岛

　　青岛　⟷　　大连

　　大连　⟷　　天津

　　我们把研究对象（如天津、青岛、大连）看作元素，那么上面的问题就是从 3 个元素中取出 2 个，组成一组的问题，我们把每一组叫做一个组合，把所有的组合的个数叫做组合数，上面的问题就是要求组合数．

　　一般地，从 n 个不同元素中取出 m 个（$m \leqslant n$）元素组成一组不计较组内各元素的次序，叫做从 n 个不同元素中取出 m 个元素的一个组合．

由组合的定义可以看出，两个组合是否相同，只与这两个组合中的元素有关，而与取到这些元素的先后顺序无关．只有当两个组合中的元素不完全相同时，它们才是不同的组合．

从 n 个不同元素中取出 m 个元素（$m \leqslant n$）的所有组合的个数，叫做从 n 个不同元素中取出 m 个不同元素的组合数．记作 C_n^m．

如上面的例子，就是要计算从 3 个城市中取 2 个城市的组合数 C_3^2，由枚举法得出的结论知：$C_3^2 = 3$．

那么它是怎样计算出来的呢？

从第三讲开头的例子，即准备天津、青岛、大连三个城市之间的船票的问题发现，这个问题实际上可以这样分两步完成：第一步是从三个城市中选两个城市，是一个组合问题，由组合数公式，有 C_3^2 种取法．第二步是将取出的两个城市进行排列，由全排列公式，有 P_2^2 种排法，所以，由乘法原理得到 $P_3^2 = C_3^2 \times P_2^2$．故有：

$$C_3^2 = P_3^2 \div P_2^2 = （3 \times 2）\div 2 = 3．$$

在数学中可以把 $a \div b$（$b \neq 0$）记作 $\dfrac{a}{b}$，其中 a 叫做分子，b 叫做分母，所以 $C_3^2 = \dfrac{P_3^2}{P_2^2}$．

一般地，求从 n 个不同元素中取出 m 个元素排成一列的排列数 P_n^m 可以分两步求得：

第一步：从 n 个不同元素中取出 m 个元素组成一组，共有 C_n^m 种方法；

第二步：将每一个组合中的 m 个元素进行全排列，共有 P_m^m 种排法．

故由乘法原理得到：

$$P_n^m = C_n^m \cdot P_m^m$$

因此

$$C_n^m = \frac{P_n^m}{P_m^m} = \frac{n(n-1)(n-2)\cdots(n-m+1)}{m!}$$

这就是组合数公式.

【例1】 计算：① C_6^2，C_6^4；　　② C_7^2，C_7^5.

解：① $C_6^2 = \dfrac{P_6^2}{P_2^2} = \dfrac{6 \times 5}{2 \times 1} = 15$，

$$C_6^4 = \frac{P_6^4}{P_4^4} = \frac{6 \times 5 \times 4 \times 3}{4 \times 3 \times 2 \times 1} = 15;$$

② $C_7^2 = \dfrac{P_7^2}{P_2^2} = \dfrac{7 \times 6}{2 \times 1} = 21$，

$$C_7^5 = \frac{P_7^5}{P_5^5} = \frac{7 \times 6 \times 5 \times 4 \times 3}{5 \times 4 \times 3 \times 2 \times 1} = 21.$$

注意到上面的结果中，有 $C_6^2 = C_6^4$，$C_7^2 = C_7^5$.

一般地，组合数有下面的重要性质：

$$C_n^m = C_n^{n-m} \qquad\qquad (m \leqslant n)$$

这个公式是很容易理解的，它的直观意义是：C_n^m 表示从 n 个元素中取出 m 个元素组成一组的所有分组方法. C_n^{n-m} 表示从 n 个元素中取出 $(n-m)$ 个元素组成一组的所有分组方法. 显然，从 n 个元素中选出 m 个元素的分组方法恰是从 n 个元素中选 m 个元素剩下的 $(n-m)$ 个元素的分组方法. 例如，从 5 人中选 3 人开会的方法和从 5 人中选出 2 人不去开会的方法是一样多的，即 $C_5^3 = C_5^2$.

一般，当遇到 m 比较大（常常是 $m > \dfrac{n}{2}$）时，往往用 $C_n^m = C_n^{n-m}$ 来化简计算.

规定 $C_n^n = 1$，$C_n^0 = 1$.

【例 2】 计算：① C_{200}^{198}； ② C_{56}^{55}； ③ $C_{100}^{98} - 2C_{100}^{100}$.

解： ① $C_{200}^{198} = C_{200}^{200-198} = C_{200}^2 = \dfrac{P_{200}^2}{P_2^2} = \dfrac{200 \times 199}{2 \times 1} =$

19900；

② $C_{56}^{55} = C_{56}^{56-55} = C_{56}^1 = \dfrac{P_{56}^1}{P_1^1} = \dfrac{56}{1} = 56$；

③ $C_{100}^{98} - 2C_{100}^{100} = C_{100}^2 - 2 \times 1$

$\qquad = \dfrac{P_{100}^2}{P_2^2} - 2 = \dfrac{100 \times 99}{2 \times 1} - 2$

$\qquad = 4948.$

【例 3】 从分别写有 1、3、5、7、9 的五张卡片中任取两张，作成一道两个一位数的乘法题，问：

①有多少个不同的乘积？

②有多少个不同的乘法算式？

分析 ①中，要考虑有多少个不同乘积. 由于只要从 5 张卡片中取两张，就可以得到一个乘积，所以，有多少个乘积只与所取的卡片有关，而与卡片取出的顺序无关，所以这是一个组合问题.

②中，要考虑有多少个不同的乘法算式，它不仅与两张卡片上的数字有关，而且与取到两张卡片的顺序有关，所以这是一个排列问题.

解：①由组合数公式，共有

$$C_5^2 = \dfrac{P_5^2}{P_2^2} = \dfrac{5 \times 4}{2 \times 1} = 10$$

个不同的乘积.

②由排列数公式，共有

$P_5^2 = 5 \times 4 = 20$

种不同的乘法算式.

【例4】 在一个圆周上有 10 个点，以这些点为端点或顶点，可以画出多少不同的①直线段，②三角形，③四边形？

分析 由于 10 个点全在圆周上，所以这 10 个点没有三点共线，故只要在 10 个点中取 2 个点，就可以画出一条线段；在 10 个点中取 3 个点，就可以画出一个三角形；在 10 个点中取 4 个点，就可以画出一个四边形，三个问题都是组合问题.

解：由组合数公式.

①可画出 $C_{10}^2 = \dfrac{P_{10}^2}{P_2^2} = \dfrac{10 \times 9}{2 \times 1} = 45$（条）直线段，

②可画出 $C_{10}^3 = \dfrac{P_{10}^3}{P_3^3} = \dfrac{10 \times 9 \times 8}{3 \times 2 \times 1} = 120$（个）三角形.

③可画出 $C_{10}^4 = \dfrac{P_{10}^4}{P_4^4} = \dfrac{10 \times 9 \times 8 \times 7}{4 \times 3 \times 2 \times 1} = 210$（个）四边形.

【例5】 如下图，问：
①下左图中，共有多少条线段？
②下右图中，共有多少个角？

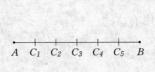

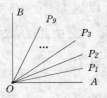

分析 ①中，在线段 AB 上共有 7 个点（包括端点

A、B）．注意到，只要在这七个点中选出两个点，就有一条以这两个点为端点的线段，所以，这是一个组合问题，而 C_7^2 表示从 7 个点中取两个不同点的所有取法，每种取法可以确定一条线段，所以共有 C_7^2 条线段．

②中，从 O 点出发的射线一共有 11 条，它们是 OA，OP_1，OP_2，OP_3，…，OP_9，OB．注意到每两条射线可以形成一个角，所以，只要看从 11 条射线中取两条射线有多少种取法，就有多少个角．显然，是组合问题，共有 C_{11}^2 种不同的取法，所以，可组成 C_{11}^2 个角．

解：①由组合数公式知，共有

$$C_7^2 = \frac{P_7^2}{P_2^2} = \frac{7 \times 6}{2 \times 1} = 21$$

条不同的线段；

②由组合数公式知，共有

$$C_{11}^2 = \frac{P_{11}^2}{P_2^2} = \frac{11 \times 10}{2 \times 1} = 55 \text{ 个不同的角．}$$

【例 6】　某校举行排球单循环赛，有 12 个队参加．问：共需要进行多少场比赛？

分析　因为比赛是单循环制的，所以，12 个队中的每两个队都要进行一场比赛，并且比赛的场次只与两个队的选取有关而与两个队选出的顺序无关．所以，这是一个在 12 个队中取 2 个队的组合问题．

解：由组合数公式知，共需进行

$$C_{12}^2 = \frac{12 \times 11}{2 \times 1} = 66$$

场比赛．

【例 7】　某班要在 42 名同学中选出 3 名同学去参加

夏令营，问共有多少种选法？如果在42人中选3人站成一排，有多少种站法？

分析 要在42人中选3人去参加夏令营，那么，所有的选法只与选出的同学有关，而与三名同学被选出的顺序无关．所以，应用组合数公式，共有 C_{42}^3 种不同的选法．

要在42人中选出3人站成一排，那么，所有的站法不仅与选出的同学有关，而且与三名同学被选出的顺序有关．所以，应用排列数公式，共有 P_{42}^3 种不同的站法．

解：由组合数公式，共有

$$C_{42}^3 = \frac{P_{42}^3}{P_3^3} = \frac{42 \times 41 \times 40}{3 \times 2 \times 1} = 11480$$

种不同的选法；

由排列数公式，共有

$$P_{42}^3 = 42 \times 41 \times 40 = 68880$$

种不同的站法．

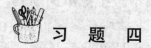

习 题 四

1．计算：

① C_{15}^3； ② C_{2000}^{1998}；

③ $C_4^3 \times C_8^2$； ④ $P_8^2 - C_8^6$．

2．从分别写有1、2、3、4、5、6、7、8的八张卡片中任取两张作成一道两个一位数的加法题．问：

①有多少种不同的和？

②有多少个不同的加法算式？

3．某班毕业生中有10名同学相见了，他们互相都握了一次手，问这次聚会大家一共握了多少次手？

4．在圆周上有 12 个点.

①过每两个点可以画一条直线，一共可以画出多少条直线？

②过每三个点可以画一个三角形，一共可以画出多少个三角形？

5．如右图，图上一共有六个点，且六个点中任意三个点不共线，问：

①从这六个点中任意选两点可以连成一条线段，这些点一共可以连成多少条线段？

②从这六个点中任意选两点可以作一条射线，这些点一共可以作成多少条射线？（射线是一端固定，经另一点可以无限延长的.）

习题四解答

1．①455； ②1999000； ③112； ④28．

2．① $C_8^2 = 28$ ； ② $P_8^2 = 56$ ．

3．$C_{10}^2 = 45$ ．

4．① $C_{12}^2 = 66$ ； ② $C_{12}^3 = 220$ ．

5．① $C_6^2 = 15$ ； ② $P_6^2 = 30$ ．

第**5**讲 排列组合

前面我们已讨论了加法原理、乘法原理、排列、组合等问题. 事实上, 这些问题是相互联系、不可分割的. 例如有时候, 做某件事情有几类方法, 而每一类方法又要分几个步骤完成. 在计算做这件事的方法时, 既要用到乘法原理, 又要用到加法原理. 又如, 在照相时, 如果对坐的位置有些规定, 那么就不再是简单的排列问题了. 类似的问题有很多, 要正确地解决这些问题, 就一定要熟练地掌握两个原理和排列、组合的内容, 并熟悉它们所解决问题的类型特点.

看下面的例子.

【例1】 由数字 0、1、2、3 可以组成多少个没有重复数字的偶数?

分析 注意到由四个数字 0、1、2、3 可组成的偶数有一位数、二位数、三位数、四位数这四类, 所以要一类一类地考虑, 再由加法原理解决.

第一类: 一位偶数只有 0、2, 共 2 个;

第二类: 两位偶数, 它包含个位为 0、2 的两类. 若个位取 0, 则十位可有 C_3^1 种取法; 若个位取 2, 则十位有 C_2^1 种取法. 故两位偶数共有 $(C_3^1 + C_2^1)$ 种不同的取法;

第三类: 三位偶数, 它包含个位为 0、2 的两类. 若个位取 0, 则十位和百位共有 P_3^2 种取法; 若个位取 2, 则十位和百位只能在 0、1、3 中取, 百位有 2 种取法,十位也有 2 种取法，由乘法原理，个位为 2 的三位偶数有 2×2 个，三位偶数共有 $(P_3^2 + 2 \times 2)$ 个；

　　第四类：四位偶数．它包含个位为 0、2 的两类．若个位取 0，则共有 P_3^3 个；若个位取 2，则其他 3 位只能在 0、1、3 中取．千位有 2 种取法，百位和十位在剩下的两个数中取，再排成一列，有 P_2^2 种取法．由乘法原理，个位为 2 的四位偶数有 $2 \times P_2^2$ 个．所以，四位偶数共有 $(P_3^3 + 2 \times P_2^2)$ 种不同的取法．

　　解： 由加法原理知，共可以组成

$$2 + (C_3^1 + C_2^1) + (P_3^2 + 2 \times 2) + (P_3^3 + 2 \times P_2^2)$$
$$= 2 + 5 + 10 + 10$$
$$= 27$$

个不同的偶数．

　　补充说明： 本题也可以将所有偶数分为两类，即个位为 0 和个位为 2 的两类．再考虑到每一类中分别有一位、两位、三位、四位数，逐类讨论便可求解．

　　【例 2】 国家举行足球赛，共 15 个队参加．比赛时，先分成两个组，第一组 8 个队，第二组 7 个队．各组都进行单循环赛（即每个队要同本组的其他各队比赛一场）．然后再由各组的前两名共 4 个队进行单循环赛，决出冠亚军．问：①共需比赛多少场？②如果实行主客场制（即 A、B 两个队比赛时，既要在 A 队所在的城市比赛一场，也要在 B 队所在的城市比赛一场），共需比赛多少场？

　　分析 比赛的所有场次包括三类：第一组中比赛的场次，第二组中比赛的场次，决赛时比赛的场次．

　　①中，第一组中 8 个队，每两队比赛一场，所以共

比赛 C_8^2 场；第二组中 7 个队，每两队比赛一场，所以共比赛 C_7^2 场；决赛中 4 个队，每两队比赛一场，所以共比赛 C_4^2 场．

②中，由于是实行主客场制，每两个队之间要比赛两场，比赛场次是①中的 2 倍．

另外，还可以用排列的知识来解决．由于主客场制不仅与参赛的队有关，而且与比赛所在的城市（即与顺序）有关．所以，第一组共比赛 P_8^2 场，第二组共比赛 P_7^2 场，决赛时共比赛 P_4^2 场．

解：由加法原理：

①实行单循环赛共比赛

$$C_8^2 + C_7^2 + C_4^2 = \frac{P_8^2}{P_2^2} + \frac{P_7^2}{P_2^2} + \frac{P_4^2}{P_2^2}$$

$$= \frac{8 \times 7}{2 \times 1} + \frac{7 \times 6}{2 \times 1} + \frac{4 \times 3}{2 \times 1}$$

$$= 28 + 21 + 6$$

$$= 55 \text{（场）．}$$

②实行主客场制，共需比赛

$$2 \times (C_8^2 + C_7^2 + C_4^2) = 110 \text{（场）．}$$

或解为：

$$P_8^2 + P_7^2 + P_4^2$$

$$= 8 \times 7 + 7 \times 6 + 4 \times 3$$

$$= 56 + 42 + 12$$

$$= 110 \text{（场）．}$$

【例3】 在一个半圆周上共有 12 个点，如右图，以这些点为顶点，可以画出多少个

①三角形？ ②四边形？

分析　①我们知道，不在同一

直线上的三个点确定一个三角形，

由图可见，半圆弧上的每三个点均

不共线（由于 A、B 既可看成半圆

上的点，又可看成线段上的点，为不重复计算，可把它

们归在线段上），所以，所有的三角形应有三类：第一

类，三角形的三个顶点全在半圆弧上取（不含 A、B 两

点）；第二类，三角形的两个顶点取在半圆弧上（不包含

A、B），另一个顶点在线段上取（含 A、B）；第三类，

三角形的一个顶点在半圆弧上取，另外两点在线段上取.

　　注意到三角形的个数只与三个顶点的取法有关，而

与选取三点的顺序无关，所以，这是组合问题.

　　解：三个顶点都在半圆弧上的三角形共有

$$C_7^3 = \frac{P_7^3}{P_3^3} = \frac{7 \times 6 \times 5}{3 \times 2 \times 1} = 35 \text{（个）；}$$

　　两个顶点在半圆弧上，一个顶点在线段上的三角形

共有

$$C_7^2 \times C_5^1 = \frac{P_7^2}{P_2^2} \times \frac{P_5^1}{P_1^1} = \frac{7 \times 6}{2 \times 1} \times \frac{5}{1} = 105 \text{（个）；}$$

　　一个顶点在半圆弧上，两个顶点在线段上的三角形

共有

$$C_7^1 \times C_5^2 = \frac{P_7^1}{P_1^1} \times \frac{P_5^2}{P_2^2} = \frac{7}{1} \times \frac{5 \times 4}{2 \times 1} = 70 \text{（个）.}$$

　　由加法原理，这 12 个点共可以组成

$$C_7^3 + （C_7^2 \times C_5^1）+（C_7^1 \times C_5^2）$$

$$= 35 + 105 + 70 = 210 \text{（个）}$$

不同的三角形.

也可列式为 $C_{12}^3 - C_5^3 = 220 - 10 = 210$ （个）.

分析 ②用解①的方法考虑.

将组成四边形时取点的情况分为三类：

第一类：四个点全在圆弧上取. （不包括 A、B）有 C_7^4 种取法.

第二类：两个点取自圆弧. 两个点取自直线 AB. 有取法 $C_7^2 \times C_5^2$ 种.

第三类：圆弧上取 3 个点，直线上取 1 个点，有 $C_7^3 \times C_5^1$ 种取法.

解： 依加法原理，这 12 个点共可组成：

$$C_7^4 + C_7^2 \times C_5^2 + C_7^3 \times C_5^1$$
$$= 35 + 210 + 175 = 420$$

个不同的四边形.

还可直接计算，这 12 个点共可组成：

$$C_{12}^4 - C_5^4 - C_5^3 \cdot C_7^1 = 495 - 5 - 70 = 420$$

个不同的四边形.

【例 4】 如下图，问

①下左图中，有多少个长方形（包括正方形）？

②下右图中，有多少个长方体（包括正方体）？

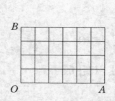
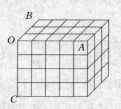

分析 ①由于长方形是由两组分别平行的线段构成的，因此只要看上左图中水平方向的所有平行线中，可

以选出几组两条平行线，竖直方向上的所有平行线中，可以选出几组两条平行线？

②由于长方体是由三组分别平行的平面组成的．因此，只要看上页右图中，平行于长方体上面的所有平面中，可以选出几组两个互相平行的平面，平行于长方体右面的所有平面中，可以选出几组两个互相平行的两个平面，平行于长方体前面的所有平面中，可以选出几组两个互相平行的平面．

解： ① $C_5^2 \times C_7^2 = 210$ （个）

因此，上页左图中共有 210 个长方形．

② $C_5^2 \times C_6^2 \times C_4^2 = 900$ （个）

因此，上页右图中共有 900 个长方体．

【例 5】　甲、乙、丙、丁 4 人各有一个作业本混放在一起，4 人每人随便拿了一本，问：

①甲拿到自己作业本的拿法有多少种？

②恰有一人拿到自己作业本的拿法有多少种？

③至少有一人没有拿到自己作业本的拿法有多少种？

④谁也没有拿到自己作业本的拿法有多少种？

分析　①甲拿到自己的作业本，这时只要考虑剩下的三个人拿到其他三本作业本的情况．由于其他三人可以拿到自己的作业本，也可以不拿到自己的作业本．所以，共有 P_3^3 种情况．

②恰有一人拿到自己的作业本．这时，一人拿到了自己的作业本，而其他三人都没能拿到自己的作业本．拿到自己作业本的可以是甲、乙、丙、丁中的一人，共 4 种情况．另外三人全拿错了作业本的拿法有 2 种．故恰有一人拿到自己作业本的情况有 4×2 种情况．

③至少有一人没有拿到自己的作业本. 这时只要在所有拿法中减去四人全拿到自己作业本的拿法即可. 由于 4 人拿作业本的所有拿法是 P_4^4, 而 4 人全拿到自己作业本只有 1 种情况. 所以, 至少有一人没拿到自己作业本的拿法有 $P_4^4 - 1$ 种情况.

④谁也没拿到自己的作业本. 可分步考虑（假设四个人一个一个地拿作业本, 考虑四人都拿错的情况即可）. 第一个拿作业本的人除自己的作业本外有 3 种拿法. 被他拿走作业本的人也有 3 种拿法. 这时, 剩下的两人只能从剩下的两本中拿, 要每人都拿错, 只有一种拿法. 所以, 由乘法原理, 共有 $3 \times 3 \times 1$ 种不同的情况.

解：①甲拿到自己作业本的拿法有

$$P_3^3 = 3 \times 2 \times 1 = 6$$

种情况；

②恰有一人拿到自己作业本的拿法有

$$4 \times 2 = 8$$

种情况；

③至少有一人没有拿到自己作业本的拿法有

$$P_4^4 - 1 = 4 \times 3 \times 2 \times 1 - 1 = 23$$

种情况；

④谁也没有拿到自己作业本的拿法有

$$3 \times 3 \times 1 = 9$$

种情况.

由前面的各例题可以看到, 有关排列组合的问题多种多样, 思考问题的方法灵活多变, 入手的角度也是多方面的. 所以, 除掌握有关的原理和结论, 还必须学习灵活多样的分析问题、解决问题的方法.

习 题 五

1. 由数字 0、1、2、3、4 可以组成多少个

①三位数?

②没有重复数字的三位数?

③没有重复数字的三位偶数?

④小于 1000 的自然数?

2. 从 15 名同学中选 5 人参加数学竞赛,求分别满足下列条件的选法各有多少种?

①某两人必须入选;

②某两人中至少有一人入选;

③某三人中恰入选一人;

④某三人不能同时都入选.

3. 如右图,两条相交直线上共有 9 个点,问:

一共可以组成多少个不同的三角形?

4. 如下图,计算

①下左图中有多少个梯形?

②下右图中有多少个长方体?

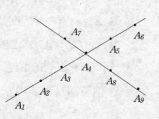

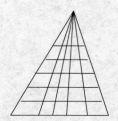

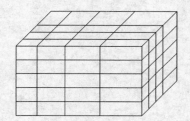

5．七个同学照相，分别求出在下列条件下有多少种站法？

①七个人排成一排；

②七个人排成一排，某两人必须有一人站在中间；

③七个人排成一排，某两人必须站在两头；

④七个人排成一排，某两人不能站在两头；

⑤七个人排成两排，前排三人，后排四人，某两人不在同一排.

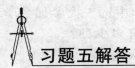 习题五解答

1．①100；　　②48；　　③30；　　④124.

2．① $C_{13}^3 = 286$ ；　　　　② $C_{15}^5 - C_{13}^5 = 1716$ ；

　　③ $C_3^1 \cdot C_{12}^4 = 1485$ ；　　④ $C_{15}^5 - C_{12}^2 = 2937$.

3． $C_5^1 \cdot C_3^2 + C_6^2 \cdot C_3^1 = 60$ ；　　或 $C_9^3 - C_6^3 - C_4^3 = 60$.

4．① $C_6^2 \times C_6^2 = 225$ ；　　　② $C_5^2 \times C_6^2 \times C_5^2 = 1500$.

5．① $P_7^7 = 5040$ ；　　　　　② $2P_6^6 = 1440$ ；

　　③ $2P_5^5 = 240$ ；　　　　　④ $5 \times 4 \times P_5^5 = 2400$ ；

　　⑤ $2 \times 3 \times 4 \times P_5^5 = 2880$.

第6讲 排列组合的综合应用

排列组合是数学中风格独特的一部分内容. 它具有广泛的实际应用. 例如: 某城市电话号码是由六位数字组成, 每位可从 0～9 中任取一个, 问该城市最多可有多少种不同的电话号码? 又如从 20 名运动员中挑选 6 人组成一个代表队参加国际比赛. 但运动员甲和乙两人中至少有一人必须参加代表队, 问共有多少种选法? 回答上述问题若不采用排列组合的方法, 结论是难以想像的. (前一个问题, 该城市最多可有 1000000 个不同电话号码. 后一个问题, 代表队有 20196 种不同选法.)

当然排列组合的综合应用具有一定难度. 突破难点的关键: 首先必须准确、透彻的理解加法原理、乘法原理; 即排列组合的基石. 其次注意两点: ①对问题的分析、考虑是否能归纳为排列、组合问题? 若能, 再判断是属于排列问题还是组合问题? ②对题目所给的条件限制要作仔细推敲认真分析. 有时利用图示法, 可使问题简化便于正确理解与把握.

【例1】 从 5 幅国画, 3 幅油画, 2 幅水彩画中选取两幅不同类型的画布置教室, 问有几种选法?

分析 首先考虑从国画、油画、水彩画这三种画中选取两幅不同类型的画有三种情况, 即可分三类, 自然考虑到加法原理. 当从国画、油画各选一幅有多少种选法时, 利用的乘法原理. 由此可知这是一道利用两个原理的综合题．关键是正确把握原理．

解：符合要求的选法可分三类：

不妨设第一类为：国画、油画各一幅，可以想像成，第一步先在 5 张国画中选 1 张，第二步再在 3 张油画中选 1 张．由乘法原理有 $5 \times 3 = 15$ 种选法．第二类为国画、水彩画各一幅，由乘法原理有 $5 \times 2 = 10$ 种选法．第三类油画、水彩各一幅，由乘法原理有 $3 \times 2 = 6$ 种选法．这三类是各自独立发生互不相干进行的．

因此，依加法原理，选取两幅不同类型的画布置教室的选法有 $15 + 10 + 6 = 31$ 种．

注　运用两个基本原理时要注意：

①抓住两个基本原理的区别，千万不能混．

不同类的方法（其中每一个方法都能各自独立地把事情从头到尾做完）数之间做加法，可求得完成事情的不同方法总数．

不同步的方法（全程分成几个阶段（步），其中每一个方法都只能完成这件事的 一个阶段）数之间做乘法，可求得完成整个事情的不同方法总数．

②在研究完成一件工作的不同方法数时，要遵循"不重不漏"的原则．请看一些例：从若干件产品中抽出几件产品来检验，如果把抽出的产品中至多有 2 件次品的抽法仅仅分为两类：第一类抽出的产品中有 2 件次品，第二类抽出的产品中有 1 件次品，那么这样的分类显然漏掉了抽出的产品中无次品的情况．又如：把能被 2、被 3、或被 6 整除的数分为三类：第一类为能被 2 整除的数，第二类为能被 3 整除的数，第三类为能被 6 整除的数．这三类数互有重复部分．

③在运用乘法原理时，要注意当每个步骤都做完时，这件事也必须完成，而且前面一个步骤中的每一种方法，对于下个步骤不同的方法来说是一样的.

【例 2】　一学生把一个一元硬币连续掷三次，试列出各种可能的排列.

分析　要不重不漏地写出所有排列，利用树形图是一种直观方法. 为了方便，树形图常画成倒挂形式.

解：

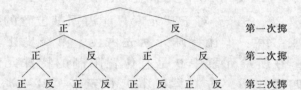

由此可知，排列共有如下八种：

正正正、正正反、正反正、正反反、

反正正、反正反、反反正、反反反.

【例 3】　用 0～9 这十个数字可组成多少个无重复数字的四位数.

分析　此题属于有条件限制的排列问题，首先弄清楚限制条件表现为：①某位置上不能排某元素. ②某元素只能排在某位置上. 分析无重复数字的四位数的千位、百位、十位、个位的限制条件：千位上不能排 0，或说千位上只能排 1～9 这九个数字中的一个. 而且其他位置上数码都不相同，下面分别介绍三种解法.

解法 1：分析　某位置上不能排某元素. 分步完成：

第一步选元素占据特殊位置，

第二步选元素占据其余位置.

解：分两步完成：

第一步：从 1~9 这九个数中任选一个占据千位，有 9 种方法.

第二步：从余下的 9 个数（包括数字 0）中任选 3 个占据百位、十位、个位，百位有 9 种. 十位有 8 种，个位有 7 种方法.

由乘法原理，共有满足条件的四位数 $9 \times 9 \times 8 \times 7 = 4536$ 个.

答：可组成 4536 个无重复数字的四位数.

解法 2：分析 对于某元素只能占据某位置的排列可分步完成：第一步让特殊元素先占位，第二步让其余元素占位. 在所给元素中 0 是有位置限制的特殊元素，在组成的四位数中，有一类根本无 0 元素，另一类含有 0 元素，而此时 0 元素只能占据百、十、个三个位置之一.

解：组成的四位数分为两类：

第一类：不含 0 的四位数有 $9 \times 8 \times 7 \times 6 = 3024$ 个.

第二类：含 0 的四位数的组成分为两步：第一步让 0 占一个位有 3 种占法，（让 0 占位只能在百、十、个位上，所以有 3 种）第二步让其余 9 个数占位有 $9 \times 8 \times 7$ 种占法. 所以含 0 的四位数有 $3 \times 9 \times 8 \times 7 = 1512$ 个.

∴ 由加法原理，共有满足条件的四位数

$3024 + 1512 = 4536$ 个.

解法 3：从无条件限制的排列总数中减去不合要求的排列数（称为排除法）. 此题中不合要求的排列即为 0 占据千位的排列.

解：从 0~9 十个数中任取 4 个数的排列总数为

$10 \times 9 \times 8 \times 7$，其中 0 在千位的排列数有 $9 \times 8 \times 7$ 个（0 确定在千位，百、十、个只能从 9 个数中取不同的 3 个）

∴　共有满足条件的四位数

$10 \times 9 \times 8 \times 7 - 9 \times 8 \times 7$

$= 9 \times 8 \times 7 \times (10 - 1)$

$= 4536$ 个.

　　注　用解法 3 时要特别注意不合要求的排列有哪几种？要做到不重不漏.

【例 4】　　从右图中 11 个交点中任取 3 个点，可画出多少个三角形？

　　分析　　首先，构成三角形与三个点的顺序无关因此是组合问题，另外考虑特殊点的情况：如三点在一条直线上，则此三点不能构成三角形，四点在一条直线上，则其中任意三点也不能构成三角形. 此题采用排除法较方便.

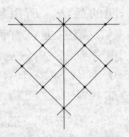

　　解：组合总数为 C_{11}^3，

　　　　其中三点共线不能构成的三角形有 $7C_3^3$，

　　　　　　四点共线不能构成的三角形有 $2C_4^3$，

∴　$C_{11}^3 - (7C_3^3 + 2C_4^3) = 165 - (7 + 8) = 150$ 个.

【例 5】　　7 个相同的球，放入 4 个不同的盒子里，每个盒子至少放一个，不同的放法有多少种？（请注意球无区别，盒是有区别的，且不允许空盒）

　　分析　　首先研究把 7 分成 4 个自然数之和的形式，容易得到以下三种情况：

　　　　① $7 = 1 + 1 + 1 + 4$

　　　　② $7 = 1 + 2 + 2 + 2$

③$7 = 1 + 1 + 2 + 3$

其次，将三种情况视为三类计算不同的放法．第一类：有一个盒子里放了 4 个球，而其余盒子里各放 1 个球，由于 4 个球可任意放入不同的四个盒子之一，有 4 种放法，而其他盒子只放一个球，而球是相同的，任意调换都是相同的放法，所以第一类只有 4 种放法．

第二类：有一个盒子里放 1 个球，有 4 种放法，其余盒子里都放 2 个球，与第一类相同，任意调换都是相同的放法，所以第二类也只有 4 种放法．

第三类：有两个盒子里各放一个球，另外两个盒子里分别放 2 个及 3 个球，这时分两步来考虑：第一步，从 4 个盒子中任取两个各放一个球，这种取法有 C_4^2 种．

第二步，把余下的两个盒子里分别放入 2 个球及 3 个球，这种放法有 P_2^2 种．由乘法原理有 $C_4^2 \times P_2^2 = 12$ 种放法．

∴ 由加法原理，可得符合题目要求的不同放法有

$4 + 4 + 12 = 20$（种）

答：共有 20 种不同的放法．

注 本题也可以看成每盒中先放了一个球垫底，使盒不空，剩下 3 个球，放入 4 个有区别盒的放置方式数．

【例 6】 用红、橙、黄、绿、蓝、青、紫七种颜色中的一种，或两种，或三种，或四种，分别涂在正四面体各个面上，一个面不能用两色，也无一个面不涂色的，问共有几种不同涂色方式？

分析 首先介绍正四面体（模型）．正四面体四个面的相关位置，当底面确定后，（从上面俯视）三个侧面的

顺序有顺时针和逆时针两种（当三个侧面的颜色只有一种或两种时，顺时针和逆时针的颜色分布是相同的）.

正四面体　　　　　　　正四面体展开图

先看简单情况，如取定四种颜色涂于四个面上，有两种方法；如取定一种颜色涂于四个面上，只有一种方法. 但取定三种颜色如红、橙、黄三色，涂于四个面上有六种方法，如下图① ② ③（图中用数字 1，2，3 分别表示红、橙、黄三色）

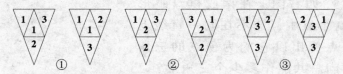

如果取定两种颜色如红、橙二色，涂于四个面上有三种方法. 如下图④ ⑤ ⑥

但是从七种颜色里，每次取出四种颜色，有 C_7^4 种取法，每次取出三种颜色有 C_7^3 种取法，每次取出两种颜色有 C_7^2 种取法，每次取出一种颜色有 C_7^1 种取法.

因此着色法共有 $2C_7^4 + 6C_7^3 + 3C_7^2 + C_7^1 = 350$ 种.

习 题 六

1．有 3 封不同的信，投入 4 个邮筒，一共有多少种不同的投法？

2．甲、乙两人打乒乓球，谁先连胜头两局，则谁赢．如果没有人连胜头两局，则谁先胜三局谁赢，打到决出输赢为止，问有多少种可能情况？

3．在 6 名女同学，5 名男同学中，选 4 名女同学，3 名男同学，男女相间站成一排，问共有多少种排法？

4．用 0、1、2、3、4、5、6 这七个数字可组成多少个比 300000 大的无重复数字的六位偶数？

5．如右图：在摆成棋盘眼形的 20 个点中，选不在同一直线上的三点作出以它们为顶点的三角形，问总共能作多少个三角形？

6．有十张币值分别为 1 分、2 分、5 分、1 角、2 角、5 角、1 元、2 元、5 元、10 元的人民币，能组成多少种不同的币值？并请研究是否可组成最小币值 1 分与最大币值（总和）之间的所有可能的币值．

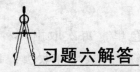

习题六解答

1．若投一封信看作一个步骤，则完成投信的任务可分三步，每封信 4 个邮筒都可投，即每个步骤都有 4 种方法．故由乘法原理：共有不同的投法 4×4×4＝64 种．

2. 甲（或乙）胜就写一个甲（或乙）字，
画树形图：

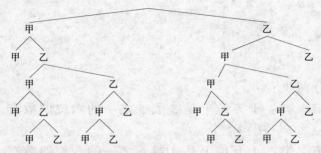

由图可见共有 14 种可能.

甲甲、甲乙甲甲、甲乙甲乙甲、甲乙甲乙乙、甲乙
乙甲甲、甲乙乙甲乙、甲乙乙乙、乙甲甲甲、乙甲甲乙
甲、乙甲甲乙乙、乙甲乙甲甲、乙甲乙甲乙、乙甲乙乙、
乙乙.

3. 现有 4 名女同学，3 名男同学，男女相间站成一
排，则站在两端的都是女同学. 将位置从右到左编号，
第 1、3、5、7 号位是女同学，第 2、4、6 号位是男同
学. 于是完成适合题意的排列可分两步：

第一步：从 6 名女同学中任选 4 名排在第 1、3、5、
7 号位. 有 P_6^4 种排法.

第二步：从 5 名男同学中任选 3 名排在第 2、4、6
号位，有 P_5^3 种排法.

因此，由乘法原理排出不同队形数为

$P_6^4 \cdot P_5^3 = 6 \times 5 \times 4 \times 3 \times 5 \times 4 \times 3 = 21600.$

4. 图示：

十万	万	千	百	十	个
3					0
4					2
5					4
6					6

分两类：

第一类：十万位上是 3 或 5 之一的六位偶数有

$P_2^1 \cdot P_4^1 \cdot P_5^4$ 个.

第二类：十万位上是 4 或 6 之一的六位偶数有

$P_2^1 \cdot P_3^1 \cdot P_5^4$ 个.

$\therefore \quad P_2^1 P_4^1 P_5^4 + P_2^1 P_3^1 P_5^4 = 1680.$

5．五点共线有 4 组，四点共线的有 9 组，三点共线的有 8 组，利用排除法：

$C_{20}^3 - 4C_5^3 - 9C_4^3 - 8C_3^3$

$= 1140 - 4 \times 10 - 9 \times 4 - 8$

$= 1056.$

6．因为任一张人民币的币值都大于所有币值比它小的人民币的币值的和，例如 1 角的大于 1 分、2 分、5 分的和，因此不论取多少张，它们组成的币值都不重复，所以组成的币值与组合总数一致，有

$C_{10}^1 + C_{10}^2 + \cdots + C_{10}^{10} = 2^{10} - 1 = 1023$ 种.

因为由这些人民币能组成的最小的币值是 1 分，最大的币值是十张币值的和，即 1888 分，而 1023 ＜ 1888，可见从 1 分到 1888 分中间有一些币值不能组成.

第7讲 行程问题

在本讲中，我们研究两个运动物体作方向相同的运动时，路程、速度、时间这三个基本量之间有什么样的关系.

【例1】 下午放学时，弟弟以每分钟 40 米的速度步行回家. 5 分钟后，哥哥以每分钟 60 米的速度也从学校步行回家，哥哥出发后，经过几分钟可以追上弟弟？（假定从学校到家有足够远，即哥哥追上弟弟时，仍没有回到家）.

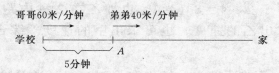

分析 若经过 5 分钟，弟弟已到了 A 地，此时弟弟已走了 $40 \times 5 = 200$ （米）；哥哥每分钟比弟弟多走 20 米，几分钟可以追上这 200 米呢？

解：$40 \times 5 \div (60 - 40)$
$$= 200 \div 20$$
$$= 10 \text{（分钟）}$$

答：哥哥 10 分钟可以追上弟弟.

我们把类似例 1 这样的题，称之为追及问题. 如果我们把开始时刻前后两物体（或人）的距离称为路程差（如例 1 中的 200 米），从开始时刻到后者追上前者路程差这一段路程所用的时间称为追及时间，则从例1容易看出：追及问题存在这样的基本关系：

路程差＝速度差×追及时间.

如果已知其中的两个量，那么根据上式就很容易求出第三个量.

【例2】 甲、乙二人练习跑步，若甲让乙先跑 10 米，则甲跑 5 秒钟可追上乙；若甲让乙先跑 2 秒钟，则甲跑 4 秒钟就能追上乙.问：甲、乙二人的速度各是多少？

分析 若甲让乙先跑 10 米，则 10 米就是甲、乙二人的路程差，5 秒就是追及时间，据此可求出他们的速度差为 $10 \div 5 = 2$（米/秒）；若甲让乙先跑 2 秒，则甲跑 4 秒可追上乙，在这个过程中，追及时间为 4 秒，因此路程差就等于 $2 \times 4 = 8$（米），也即乙在 2 秒内跑了 8 米，所以可求出乙的速度，也可求出甲的速度.综合列式计算如下：

解：乙的速度为：$10 \div 5 \times 4 \div 2 = 4$（米/秒）

甲的速度为：$10 \div 5 + 4 = 6$（米/秒）

答：甲的速度为 6 米/秒，乙的速度为 4 米/秒.

【例3】 某人沿着一条与铁路平行的笔直的小路由西向东行走，这时有一列长 520 米的火车从背后开来，此人在行进中测出整列火车通过的时间为 42 秒，而在这段时间内，他行走了 68 米，则这列火车的速度是多少？

分析 整列火车通过的时间是 42 秒，这句话的意思是：从火车的车头追上行人时开始计时，直到车尾超过行人为止共用 42 秒，因此，如果我们把火车的运动看作是车尾的运动的话，则本题实际上就是一个车尾与人的追及问题，开始时刻，它们的路程差就等于这列火车的车长，追及时间就等于 42 秒，因此可以求出它们的速度差，从而求出火车的车速.

解：$520 \div 42 + 68 \div 42$

$= （520 + 68）\div 42$

$= 588 \div 42$

$= 14$（米/秒）

答：火车的车速为 14 米/秒.

【例 4】　幸福村小学有一条 200 米长的环形跑道，冬冬和晶晶同时从起跑线起跑，冬冬每秒钟跑 6 米，晶晶每秒钟跑 4 米，问冬冬第一次追上晶晶时两人各跑了多少米，第 2 次追上晶晶时两人各跑了多少圈？

分析　这是一道封闭路线上的追及问题，冬冬与晶晶两人同时同地起跑，方向一致. 因此，当冬冬第一次追上晶晶时，他比晶晶多跑的路程恰是环形跑道的一个周长（200 米），又知道了冬冬和晶晶的速度，于是，根据追及问题的基本关系就可求出追及时间以及他们各自所走的路程.

解：①冬冬第一次追上晶晶所需要的时间：

$200 \div （6 - 4）= 100$（秒）

②冬冬第一次追上晶晶时他所跑的路程应为：

$6 \times 100 = 600$（米）

③晶晶第一次被追上时所跑的路程：

$4 \times 100 = 400$（米）

④冬冬第二次追上晶晶时所跑的圈数：

$（600 \times 2）\div 200 = 6$（圈）

⑤晶晶第 2 次被追上时所跑的圈数：

（400×2）÷200＝4（圈）

答：略.

解答封闭路线上的追及问题，关键是要掌握从并行到下次追及的路程差恰是一圈的长度.

【例5】 军事演习中，"我"海军英雄舰追击"敌"军舰，追到 A 岛时，"敌"舰已在 10 分钟前逃离，"敌"舰每分钟行驶 1000 米，"我"海军英雄舰每分钟行驶 1470 米，在距离"敌"舰 600 米处可开炮射击，问"我"海军英雄舰从 A 岛出发经过多少分钟可射击敌舰？

分析 "我"舰追到 A 岛时，"敌"舰已逃离 10 分钟了，因此，在 A 岛时，"我"舰与"敌"舰的距离为 10000 米（＝1000×10）. 又因为"我"舰在距离"敌"舰 600 米处即可开炮射击，即"我"舰只要追上"敌"舰 9400（＝10000 米－600 米）即可开炮射击. 所以，在这个问题中，不妨把 9400 当作路程差，根据公式求得追及时间.

解： （1000×10－600）÷（1470－1000）

＝（10000－600）÷470

＝9400÷470

＝20（分钟）

答：经过 20 分钟可开炮射击"敌"舰.

【例6】 在一条直的公路上，甲、乙两个地点相距 600 米，张明每小时行 4 公里，李强每小时行 5 公里. 8 点整，张李二人分别从甲、乙两地同时出发相向而行，1 分钟后他们都调头反向而行，再经过 3 分钟，他们又调头相向而行，依次按照 1，3，5，…（连续奇数）分钟数调头行走，那么张、李二人相遇时是 8 点几分？

分析　无论相向还是反向，张李二人每分钟都共走 $4000 \div 60 + 5000 \div 60 = 150$（米）. 如果两人一直相向而行，那么从出发经过 $600 \div 150 = 4$（分钟）两人相遇. 显然，按现在的走法，在 16 分钟（ $= 1 + 3 + 5 + 7$ ）之内两人不会相遇. 在这 16 分钟之内，他们相向走了 6 分钟（ $= 1 + 5$ ），反向走了 10 分钟（ $= 3 + 7$ ），此时两人相距 $600 + [150 \times (3 + 7 - 1 - 5)] = 1200$ 米，因此，再相向行走，经过 $1200 \div 150 = 8$（分钟）就可以相遇.

解：$600 + 150 \times (3 + 7 - 1 - 5) = 1200$（米）

$1200 \div (4000 \div 60 + 5000 \div 60) = 8$（分钟）

$1 + 3 + 5 + 7 + 8 = 24$（分钟）

答：两人相遇时是 8 点 24 分.

【例 7】　自行车队出发 12 分钟后，通信员骑摩托车去追他们，在距出发点 9 千米处追上了自行车队，然后通信员立即返回出发点；随后又返回去追自行车队，再追上时恰好离出发点 18 千米，求自行车队和摩托车的速度.

分析　在第一次追上自行车队与第二次追上自行车队之间，摩托车所走的路程为（18 + 9）千米，而自行车所走的路程为（18 - 9）千米，所以，摩托车的速度是自行车速度的 3 倍（ $= (18 + 9) \div (18 - 9)$ ）；摩托车与自行车的速度差是自行车速度的 2 倍，再根据第一次摩托车开始追自行车队时，车队已出发了 12 分钟，也即第一次追及的路程差等于自行车在 12 分钟内所走的路程，所以追及时间等于 $12 \div 2 = 6$（分钟）；联系摩托车在距出发点 9 千米的地方追上自行车队可知：摩托车在 6 分钟内走了 9 千米的路程，于是摩托车和自行车的速度都可求出了.

解：$(18 + 9) \div (18 - 9) = 3$（倍）

12÷（3－1）＝6（分钟）

9÷6＝1.5（千米/分钟）

1.5÷3＝0.5（千米/分钟）

答：摩托车与自行车的速度依次为 1.5 千米/分钟，0.5 千米/分钟．

【例 8】 A、B 两地间有条公路，甲从 A 地出发，步行到 B 地，乙骑摩托车从 B 地出发，不停地往返于 A、B 两地之间，他们同时出发，80 分钟后两人第一次相遇，100 分钟后乙第一次追上甲，问：当甲到达 B 地时，乙追上甲几次？

第一次相遇　　第一次追上

分析 由上图容易看出：在第一次相遇与第一次追上之间，乙在 100－80＝20（分钟）内所走的路程恰等于线段 FA 的长度再加上线段 AE 的长度，即等于甲在 (80＋100)分钟内所走的路程，因此，乙的速度是甲的 9 倍（＝180÷20），则 BF 的长为 AF 的 9 倍，所以，甲从 A 到 B，共需走 80×(1＋9)＝800(分钟) 乙第一次追上甲时，所用的时间为 100 分钟，且与甲的路程差为一个 AB 全程．从第一次追上甲时开始，乙每次追上甲的路程差就是两个 AB 全程，因此，追及时间也变为 200 分钟(＝100×2)，所以，在甲从 A 到 B 的 800 分钟内，乙共有 4 次追上甲，即在第 100 分钟，300 分钟，500 分钟和 700 分钟．

解：（略）．

习　题　七

1．解放军某部先遣队，从营地出发，以每小时 6 千米的速度向某地前进，6 小时后，部队有急事，派通讯员骑摩托车以每小时 78 千米的速度前去联络，问多少时间后，通讯员能赶上先遣队？

2．小明以每分钟 50 米的速度从学校步行回家，12 分钟后小强从学校出发骑自行车去追小明，结果在距学校 1000 米处追上小明，求小强骑自行车的速度．

3．甲、乙两架飞机同时从一个机场起飞，向同一方向飞行，甲机每小时行 300 千米，乙机每小时行 340 千米，飞行 4 小时后它们相隔多少千米？这时候甲机提高速度用 2 小时追上乙机，甲机每小时要飞行多少千米？

4．两人骑自行车从同一地点出发沿着长 900 千米环形路行驶，如果他们反向而行，那么经过 2 分钟就相遇，如果同向而行，那么每经过 18 分钟快者就追上慢者，求两人骑车的速度？

5．一条环形跑道长 400 米，甲骑自行车每分钟骑 450 米，乙跑步每分钟 250 米，两人同时从同地同向出发，经过多少分钟两人相遇？

6．上午 8 点零 8 分，小明骑自行车从家里出发，8 分钟后，爸爸骑摩托车去追他，在离家 4 千米的地方追上了他．然后爸爸立刻回家，到家后又立刻回头去追小明、再追上他的时候，离家恰好是 8 千米，问这时是几点几分？

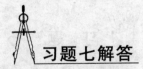

习题七解答

1．$(6 \times 6) \div (78 - 6) = 0.5$（小时）．

2．①小强需几分钟追上小明：

$(1000 - 12 \times 50) \div 50 = 8$（分钟）

②小强每分钟骑车行多少米：

$1000 \div 8 = 125$（米/分）．

3．①4 小时后相差多少千米？

$(340 - 300) \times 4 = 160$（千米）

②甲机提高速度后每小时飞行多少千米？

$160 \div 2 + 340 = 420$（千米）．

4．$900 \div 2 = 450$（米/分）

$900 \div 18 = 50$（米/分）

快车速度：$(450 + 50) \div 2 = 250$（米/分）

慢车速度：$(450 - 50) \div 2 = 200$（米/分）．

5．$400 \div (450 - 250) = 2$（分钟）．

6．从爸爸第一次追上小明到第二次追上这一段时间内，小明走的路程是 $8 - 4 = 4$（千米），而爸爸行了 $4 + 8 = 12$（千米），因此，摩托车与自行车的速度比是 $12 : 4 = 3 : 1$．小明全程骑车行 8 千米，爸爸来回总共行 $4 + 12 = 16$（千米），还因晚出发而少用 8 分钟，从上面算出的速度比得知，小明骑车行 8 千米，爸爸如同时出发应该骑 24 千米．现在少用 8 分钟，少骑 $24 - 16 = 8$（千米），因此推算出摩托车的速度是每分钟 1 千米．爸爸总共骑了 16 千米，需 16 分钟，$8 + 16 = 24$（分钟），这时是 8 点 32 分．

第 8 讲　数学游戏

　　我们在进行竞赛与竞争时，往往要认真分析情况，制定出好的方案，使自己获胜，这种方案就是对策．在小学数学竞赛中，常有与智力游戏相结合而提出的一些简单的对策问题，它所涉及的数学知识都比较简单．但这类题的解答对我们的智力将是一种很有益的锻炼．

　　【例1】　　甲、乙二人轮流报数，必须报不大于6的自然数，把两人报出的数依次加起来，谁报数后加起来的数是2000，谁就获胜．如果甲要取胜，是先报还是后报？报几？以后怎样报？

　　分析　采用倒推法（倒推法是解决这类问题一种常用的数学方法）．由于每次报的数是 $1\sim6$ 的自然数，$2000-1=1999$，$2000-6=1994$，甲要获胜，必须使乙最后一次报数加起来的和的范围是 $1994\sim1999$，由于 $1994-1=1993$（或 $1999-6=1993$），因此，甲倒数第二次报数后加起来的和必须是1993．同样，由于 $1993-1=1992$，$1993-6=1987$，所以要使乙倒数第二次报数后加起来的和的范围是 $1987\sim1992$，甲倒数第三次报数后加起来的和必须是1986．同样，由于 $1986-1=1985$，$1986-6=1980$，所以要使乙倒数第三次报数后加起来的和的范围是 $1980\sim1985$，甲倒数第四次报数后加起来的和必须是 1979，…．

　　把甲报完数后加起来必须得到的和从后往前进行排

列：2000、1993、1986、1979、…．观察这一数列，发现这是一等差数列，且公差 $d=7$，这些数被 7 除都余 5．因此这一数列的最后三项为：19、12、5．所以甲要获胜，必须先报，报 5．因为 $12-5=7$，所以以后乙报几，甲就报 7 减几，例如乙报 3，甲就接着报 4（$=7-3$）．

解：①甲要获胜必须先报，甲先报 5；

②以后，乙报几甲就接着报 7 减几．

这样甲就能一定获胜．

【例 2】 有 1994 个球，甲乙两人用这些球进行取球比赛．比赛的规则是：甲乙轮流取球，每人每次取 1 个，2 个或 3 个，取最后一个球的人为失败者．

①甲先取，甲为了取胜，他应采取怎样的策略？

②乙先拿了 3 个球，甲为了必胜，应当采取怎样的策略？

分析 为了叙述方便，把这 1994 个球编上号，分别为 1～1994 号．取球时先取序号小的球，后取序号大的球．还是采用倒推法．甲为了取胜，必须把 1994 号球留给对方，因此甲在最后一次取球时，必须使他自己取到球中序号最大的一个是 1993（也许他取的球不止一个）．为了保证能做到这一点，就必须使乙最后第二次所取的球的序号为 1990（$=1993-3$）～1992（$=1993-1$）．因此，甲在最后第二次取球时，必须使他自己所取的球中序号最大的一个是 1989．为了保证能做到这一点，就必须使乙最后第三次所取球的序号为 1986（$=1989-3$）～1988（$=1989-1$）．因此，甲在最后第三次取球时，必须使他自己取球中序号最大的一个是 1985，…．

把甲每次所取的球中的最大序号倒着排列起来：

1993、1989、1985、…. 观察这一数列，发现这是一等差数列，公差 $d=4$，且这些数被 4 除都余 1. 因此甲第一次取球时应取 1 号球. 然后乙取 a 个球，因为 $a+(4-a)=4$，所以为了确保甲从一个被 4 除余 1 的数到达下一个被 4 除余 1 的数，甲就应取 $4-a$ 个球. 这样就能保证甲必胜.

由上面的分析知，甲为了获胜，必须取到那些序号为被 4 除余 1 的球. 现在乙先拿了 3 个，甲就应拿 $5-3=2$ 个球，以后乙取 a 个球，甲就取 $4-a$ 个球.

解：①甲为了获胜，甲应先取 1 个球，以后乙取 a 个球，甲就取 $4-a$ 个球.

　　　　②乙先拿了 3 个球，甲为了必胜，甲应拿 2 个球，以后乙取 a 个球，甲就取 $4-a$ 个球.

【例 3】　甲、乙两人轮流往一张圆桌面上放同样大小的硬币，规定每人每次只能放一枚，硬币平放且不能有重叠部分，放好的硬币不再移动. 谁放了最后一枚，使得对方再也找不到地方放下一枚硬币的时候就赢了. 说明放第一枚硬币的甲百战百胜的策略.

分析　采用"对称"思想.

设想圆桌面只有一枚硬币那么大，当然甲一定获胜. 对于一般的较大的圆桌面，由于圆是中心对称的，甲可以先把硬币放在桌面中心，然后，乙在某个位置放一枚硬币，甲就在与之中心对称的位置放一枚硬币. 按此方法，只要乙能找到位置放一枚硬币，根据圆的中心对称性，甲定能找到与这一位置中心对称的地方放上一枚硬币. 由于圆桌面的面积是有限的，最后，乙找不到放硬币的地方，于是甲获胜.

解：（略）．

【例4】 把一棋子放在如右图左下角格内，双方轮流移动棋子（只能向右、向上或向右上移），一次可向一个方向移动任意多格．谁把棋子走进顶格，夺取红旗，谁就获胜．问应如何取胜？

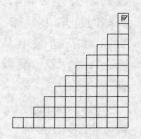

分析 采用倒推法．由于只能向右、向上或向右上移，要把棋子走进顶格，应让对方最后一次把棋子走到最右边一列的格中，为了保证能做到这一点，倒数第二次应让棋子走进右图中的 A 格中．（对方从 A 格出发，只能向右或向上移至最后一列的格中）所以要获胜，应先占据 A 格．同理可

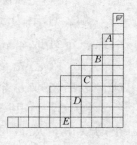

知，每次都占据 $A \sim E$ 这五个格中的某一格的人一定获胜．

解：为保证取胜，应先走．首先把棋子走进 E 格，然后，不管对方走至哪一格，（肯定不会走进 $A \sim D$ 格），先走者可以选择适当的方法一步走进 $A \sim D$ 格中的某一格．如此继续，直至对方把棋子走进最后一列的某个格中，此时先走者一步即可走进顶格，夺取红旗，从而获胜．

【例5】 白纸上画了 $m \times n$ 的方格棋盘（m，n 是自然数），甲、乙两人玩画格游戏，他们每人拿一枝笔，先画者任选一格，用笔在该格中心处画上一个点，后画者在与这个格相邻（有一条公共边的两个格叫相邻的格）

的一个格的中心处也画上一个点，先画者再在与这个新画了点的格相邻的格的中心画上一个点，后画者接着在相邻的格中再任选一格画上一个点，…，如此反复画下去，谁无法画时谁失败．问：先画者还是后画者有必胜策略？他的必胜策略是什么？（注：已画过点的格子不准再画．）

分析　m，n 是自然数，不定，不妨选几个小棋盘来试试，以便从中找出规律．

1×1 棋盘，先画者胜．

1×2 棋盘，后画者胜．

2×2 棋盘，后画者胜．

2×3 棋盘，后画者胜．后画者的策略如下：2×3 棋盘，总可以事先分割成 3 个 1×2 的小棋盘．后画者采用"跟踪"的方法：先画者在某个 1×2 的小盘中某个格内画了点，后画者就在同一个 1×2 小盘中的另一格画点；先画者只得去寻找另外的 1×2 的小盘，后画者"跟踪"过去；直至先画者找不到新的 1×2 小盘，这时，先画者就失败．

由 2×3 棋盘的分析过程知：m，n 中至少有一个为偶数时，$m \times n$ 棋盘总可以事先分成一些 1×2 或 2×1 的小棋盘，利用上面所说的"跟踪"法，后画者有必胜策略．

若 m，n 都是奇数，先画者事先把 $m \times n$ 棋盘划分成一些 1×2 小棋盘后，还剩一个小格．这时，先画者可以先在这个剩下的小格中画点，之后，先画者用"跟踪"法，就归结为 m、n 至少有一个为偶数的情形，先画者有必胜策略．

213

综上所述，当 m、n 中至少有一个为偶数时，后画者有必胜策略；当 m、n 都为奇数时，先画者有必胜策略．

解：（略）．

【例6】 现有9根火柴，甲、乙两人轮流从中取1根、2根或3根，直到取完为止．最后数一数各人所得火柴总数，得数为偶数者胜．问先拿的人是否能取胜？应怎样安排策略？

分析 我们从最简单的情况开始进行考虑．

由于9是奇数，它分成两个自然数的和时，必然一个是奇数，一个是偶数，所以两人中必然一胜一负．由于偶数分成两个自然数的和时，必然同奇或同偶，故无论如何取，都只能平局．因此我们只对火柴总数为奇数的情况加以讨论．

1. 如果有1根火柴，那么先取的人必败，后取的人必胜．

2. 如果有3根火柴，先取的人可以取2根，后取的人只能取1根，那么先取的人必胜，后取的人必败．

3. 如果有5根火柴，不妨设为甲先拿．

甲先拿1根：

①乙拿1根，还剩3根，甲取3根．甲的火柴总数为：$1+3=4$（根），乙的火柴总数为1根，因此甲胜．

②乙拿2根，还剩2根，甲取1根，乙取1根．甲的火柴总数为：$1+1=2$（根），乙的火柴总数为：$2+1=3$（根），因此甲取胜．

③乙拿3根，还剩1根，甲取1根．甲的火柴总数为：$1+1=2$（根），乙的火柴总数为3根，因此甲胜．

因此，如果有 5 根火柴，先拿的人有必胜的策略．

4．下面讨论 7 根火柴的情形．

甲先取了 3 根：

还剩 4 根，同前面 3①～③分析可知甲必胜。

因此，有 7 根火柴时，先取的人有必胜的策略．

5．最后讨论 9 根火柴的情形．

①甲先取 1 根，乙取 3 根，还剩 5 根．

(a)甲取 1 根，还剩 4 根，乙取 3 根，甲取 1 根，乙胜．

(b) 甲取 2 根，还剩 3 根，乙取 3 根，乙胜．

(c)甲取 3 根，还剩 2 根，乙取 1 根，甲取 1 根，乙胜．

因此，在甲先取 1 根的情况下，（乙接着取 3 根）乙有必胜的策略．

②甲取 2 根时，还剩 7 根，这时乙面临 7 根的情形，乙取 3 根，不论以后甲怎样取，乙都有必胜的策略．

③甲取 3 根时，还剩 6 根；乙取 1 根，还剩 5 根．

(a)甲取 1 根，还剩 4 根，乙取 3 根，甲取 1 根，乙胜．

(b) 甲取 2 根，还剩 3 根，乙取 3 根，乙胜．

(c)甲取 3 根，还剩 2 根，乙取 1 根，甲取 1 根，乙胜．

因此在甲先取 3 根的情况下，乙只要取 1 根，不论以后甲怎样取，乙都有必胜的策略．

综上所述，先取的人没有必胜的策略，后取的人有必胜的策略．

解：（略）．

习 题 八

1．甲、乙两人轮流报数，必须报 1～4 的自然数，把两人报出的数依次加起来，谁报数后加起来的和是 1000，谁就取胜．如果甲要取胜，是先报还是后报？报几？以后怎样报？

2．有 1994 个格子排成一行，左起第一个格子内有一枚棋子，甲、乙两人轮流向右移动棋子，每人每次只能向右移动 1 格、2 格、3 格或 4 格，谁将棋子走到最后一格谁败．那么甲为了取胜，第一步走几格？以后又怎样走？

3．54 张扑克牌，两人轮流拿牌，每人每次只能拿 1 张到 4 张，谁拿到最后一张谁输，问先拿牌的人怎样确保获胜？

4．n 个 1×1 的正方形排成一行，左起第一个正方形中放一枚棋子，甲、乙两人交替走这枚棋子，每步可向右移动 1 格、2 格或 3 格，谁先走到最后一格谁为胜利者．问先走者还是后走者有必胜的策略？

5．如果将例 4 中的条件改为"得数为奇数者为胜"，那么怎样才能确保取胜？

习题八解答

1．解：把胜利者报完数后累加起来的和倒着进行排列：1000、995、990、985、…、10、5，这是一等差数列，公差 $d=5$．且每个数都能被 5 整除．因此，胜利者第一次报完数后应为 5，而进行的是 1～4 报数，所以甲要取胜，应让乙先报．然后根据乙报几，甲就报 5 减几，这样就能确保甲取胜．

2．解：把这 1994 个格子从左至右编上号码为 1，2，…，1994．把胜利者每走一步棋子所落入的号数倒着进行排列：1993、1988、1983、1978、…，这是一等差数列，公差 $d=5$，且每个数被 5 除都余 3．因而胜利者走第一步棋子所落入的号数是 3 号．所以，甲为了取胜，第一步向右移动 2 格．然后乙向右移动几个格，甲就向右移动 5 减几个格，这样就能确保获胜．

3．解：把这 54 张扑克牌进行编号 1～54，不妨设甲要取胜．把甲每次所拿牌中的最大序号倒着进行排列：53、48、43、38、…，这个等差数列的公差为 5，且每个数被 5 除均余 3，因此甲第一次应拿 3 张牌，以后乙拿几张，甲就拿 5 减几张，这样就能确保甲胜．

4．解：把这 n 个 1×1 的小正方形进行编号 1～n，不妨设为甲要取胜．把甲走完后所落入的正方形的号数倒着进行排列：n、$n-4$、$n-8$、…，这也是一等差数列．每个数被 4 除的余数都与 n 除以 4 的余数相同，所以甲的策略要根据 n 被 4 除的余数来定，下面分四种情况进行讨论：

①如果 n 被 4 除余 0：那么甲第一次走完后应落入 4 号格，因此甲先走，甲向右移动 3 格．

②如果 n 被 4 除余 1：那么甲第一次走完后应落入 5 号格，因而是由乙先走，乙走几格，甲就向右移动 4 减几格．

③如果 n 被 4 除余 2：那么甲第一次走完后应落入 2 号格，因此甲先走，向右移 1 格．

④如果 n 被 4 除余 3：那么甲第一次走完后应落入 3 号格，因此甲先走，向右移 2 格．

5．解：分析过程与例 4 类似．甲的详细策略如下：

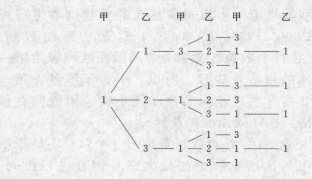

第9讲 有趣的数阵图（一）

　　大家都知道了历史悠久的三阶幻方．再推广一些，结合某些几何图形，把一些数字填入图形的某种位置上，并使数字满足一定的约束条件，这类问题，习惯上称为"数阵图"．幻方是特殊的数阵图，幻方发展较快，因为它后来与试验方案设计及一些高深数学分支有关，成为数阵图中最重要课题．本讲主要介绍一般数阵图及解此类题的推理思考方法，由于它既有数字之间运算，又要结合图形，对开发学生综合思考和形象思维很有益．

　　先看例题．

　　【例1】　下面图形包括六个加法算式，要在圆圈里填上不同的自然数，使六个算式都成立，那么最右边圆圈中的数最少是几？

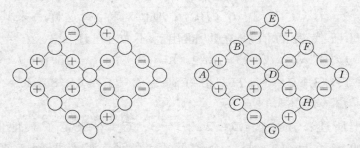

　　分析　为便于说理，各圆圈内欲填的数依次用字母 A、B、C、D、E、F、G、H、I 代替（上右图）．

　　经观察，$I = A + B + C + D$．题目要 I 尽可能小，

最极端的想法，希望 A、B、C、D 只占用 1、2、3、4. 但这会产生矛盾. 因为 1 总要和 2、3、4 中的某两个实施加法，但 $1+2$ 给予 G、H、E、F 中某值为 3 与 A、B、C、D 中已有的 3 冲突；同样 $1+3$ 给于 G、H、E、F 中某值为 4 又与 A、B、C、D 中已有的 4 冲突；所以 A、B、C、D 不能是 1、2、3、4.

那么退而求之，不妨先设 $A=1$. 如先考虑 B，B 尽可能小，最好，$B=2$，从而决定了 $E=3$，$C\neq3$，$D\neq3$.

这样一来，C，D 只能取 4 和 5. 但如 $C=4$ 导致 $G=5$ 和 $D=5$ 冲突，而 $C=5$，$D=4$，又导致 $G=A+C=6$ 和 $H=B+D=2+4=6$ 冲突.

在碰了钉子后，回看在 $A=1$ 设定后，不应随随便便先填 B 的值. 从结构上看，因为 B，C 地位对称，不妨先考虑 D. D 尽可能小，最好设 $D=2$，B、C 至少取 3、5，若如此，由 $B+D$ 或 $C+D$ 产生的 5 会与 B、C 中已有的 5 矛盾.

所以，B、C 可能取 3、6. 从而形成了：$A=1$、$D=2$、B、C 取 3、6（B，C 地位对称）. 这样一来其他字母所代表的值就立即推出，不妨设 $B=3$，$C=6$，$A+B=E=4$，$C+D=6+2=8=F$；$A+C=1+6=7=G$，$B+D=3+2=5=H$，恰好满足 $E+F=4+8=12=I$；$G+H=7+5=12=I$；

综上所述：$A=1$，$D=2$，$B=3$，$C=6$ 决定了其他值，且决定了 $I=12$. 是一个较小的 I 的值，自然要问 I 值还可能比 12 小吗？

分析 I 的值有三种不同的获得方式：

$$I=A+B+C+D=E+F=G+H.$$

$3I = A + B + C + D + E + F + G + H$,

而 8 个字母最少是代表 1、2、…、7、8 的情况.

∴　$3I \geqslant (1 + 2 + \cdots + 7 + 8) = 36$，$I \geqslant 12$.

现已推出了使 $I = 12$ 的一种填法，所以是最佳方案了.

【例 2】　如右图，五圆相连，每个位置的数字都是按一定规律填写的，请找出规律，并求出 x 所代表的数.

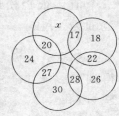

分析　经观察，图中所填数的规律为两个圆相交部分的数等于与它相邻两部分里的数的和的一半. 比如：

$(26 + 18) \div 2 = 22$.

$(30 + 26) \div 2 = 28$.

$(24 + 30) \div 2 = 27$.

解： $x + 18 = 17 \times 2$

$x = 16$.

经检验，16 和 24 相加除以 2，也恰好等于 20.

【例 3】　在下图中的各题中，将从 1 开始的连续自然数填入各题的圆圈中，要使每边上的数字之和都相等，中心处各有几种填法？（每小题请给出一个解）

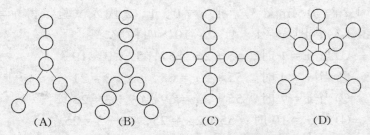

(A)　　　(B)　　　(C)　　　(D)

分析 1　图（A）中的中心圆填入的数设为 x，x 参与 3 条线的连加，设每条线数字和都为 S. 由题意：

$$1+2+3+\cdots+7+2x=3S$$

即 $28+2x=3S$ 或 $28+2x\equiv0$ (mod 3)

借用同余工具，是在两个未知数的不定方程中先缩小 x 应该取值的范围．在 mod 3 情况下，只要试探 $x\equiv0$，1，2 三个值，很轻松地解出：$x\equiv1$ (mod 3)，回复到 x 取值范围为 1，2，$\cdots$，7．有 $x_1=1$，$x_2=4$，$x_3=7$，

$$S=\frac{1}{3}(28+2x)=9+\frac{1+2x}{3}$$

得到：$x_1=1$，$S_1=10$；　　$x_2=4$，$S_2=12$；　　$x_3=7$，$S_3=14$；

由此看出关键在求 S（公共和）及 x（参与相加次数最多的圆中值）．

此方法对下面解（B）、（C）、（D）．都适用．

注意：每条线上的数字之和随着中心数的变化而变化．

分析 2　　我们分析图（B），首先应该考虑中心数，（B）题共 10 个数，由于中心数比其他数多使用了二次（总共使用三次）．如果中心数用 x 表示，三条边的数码总和应为：

$$1+2+3+4+5+6+7+8+9+10+2x=55+2x$$

同理，因为是 3 条边，所以 $55+2x$ 应是 3 的倍数 $55+2x\equiv0$ (mod 3)，把 $x\equiv0$、1、2 代入试验，得 $x\equiv1$ (mod 3)，即 $x=1$、4、7、10．四种解．

①当 $x=1$ 时，$55+2x=57$，$57\div3=19$

②当 $x=4$ 时，$55+2x=63$，$63\div3=21$

③当 $x=7$ 时，$55+2x=69$，$69\div3=23$

④当 $x=10$ 时，$55+2x=75$，$75\div3=25$

读者可按照上面相似的规律自己去分析一下图中（C）、（D）两题．

解：（A）图：

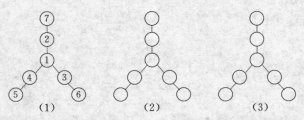

（1）　　　　　　（2）　　　　　　（3）

中心数可以为 1、4、7，有三种填法，请读者补充其他两种解法．

（B）图：

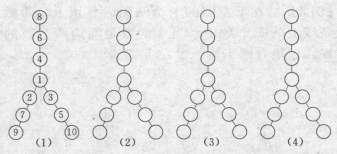

（1）　　　（2）　　　（3）　　　（4）

中心数可以为 1、4、7、10．有四种填法，请你补充其他三种填法．

（C）图：

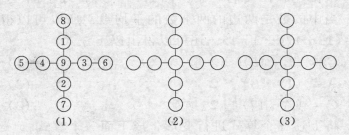

（1）　　　　　　（2）　　　　　　（3）

中心数可以为 1、5、9．有三种填法，请你补充其他两种填法．

（D）图：

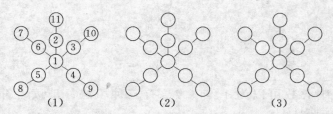

(1)	(2)	(3)

中心数可以为 1、6、11．有 3 种填法，请你补充其他两种填法．

【例 4】 在下左图的七个圆圈内各填上一个数，要求每条线上的三个数中，当中的数是两边两个数的平均数，现在已填好两个数，求 x 是多少？

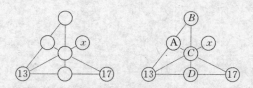

分析 为了便于说明问题，我们用字母表示各个圆圈内所表示的数，如上右图所示：

根据题意，我们观察：因为每一条直线上的三个数中，当中的数是两边的两个数的平均数．所以可以得出：$D = (13 + 17) \div 2 = 15$．还可以得出以下三式：

$$C = (B + 15) \div 2 \tag{1}$$
$$A = (13 + B) \div 2 \tag{2}$$
$$C = (A + 17) \div 2 \tag{3}$$

将上述三个算式进行变形，成下面三个算式：

$2C = B + 15$　　　　　　　　　　　　　(4)

$2A = 13 + B$　　　　　　　　　　　　　(5)

$2C = A + 17$　　　　　　　　　　　　　(6)

用 (4) 式减去 (5) 式得出：

$2C - 2A = 2$

　$C - A = 1$

　　　$C = A + 1$

将 $C = A + 1$ 代入 (6) 式得到：

$2(A + 1) = A + 17$,　　$A = 15$.

则 $C = 16$，因此，$16 = (13 + x) \times \dfrac{1}{2}$

　　　　　　$x = 19$.

即：

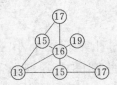

解：(略)

【例 5】　如下左图有 5 个圆，它们相交后相互分成几个区域，现在两个区域里已分别填上数字 10、6，请在另外七个区域里分别填进 2、3、4、5、6、7、9 七个数字，使每个圈内的数的和都是 15.

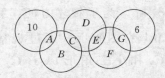

分析　为了便于说明，我们用字母表示其他的 7 个区域. 如上右图.

根据题意可以得出：$A = 5$、$G = 9$，九个区域中数的总和为：$(2 + 3 + 4 + 5 + 6 + 7 + 9) + 10 + 6 = 52$，而每个圆圈内数的和是 15，五个圆圈内数的总和为：$15 \times 5 = 75$，又 $75 - 52 = 23$，由此得出重叠的部分的四个数 A、C、E、G 的和是 23. 由于 $A = 5$ 和 $G = 9$ 已经填好，因此，余下的两个部分 $C + E$ 的和是：$23 - 5 - 9 = 9$，此时 9 只有两种分解的可能：$2 + 7 = 9$、$3 + 6 = 9$. 在 E、F、G 这个圆圈内，$\because$ $G = 9$，$\therefore$ E 不能填 6、7. 也不能填 3（否则 F 也等于 3），只能填 2，这样，$E = 2$，$C = 7$.

解：

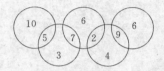

【例 6】 如下左图所示 4 个小三角形的顶点处共有 6 个圆圈. 如果在这些圆圈中分别填上 6 个质数，它们的和是 20，而且每个小三角形三顶点上的数之和相等，问这 6 个质数的积是多少？

分析 为了叙述方便，我们用字母表示图中圆圈里的数. 如上右图所示. 通过观察，我们不难发现，小三角形 $A_1B_2C_2$ 和小三角形 $A_2B_2C_2$ 有两个共同的顶点 B_2，C_2，而这两个小三角形顶点上数字的和相等. 因此 $A_1 = A_2$. 同理有 $B_1 = B_2$，$C_1 = C_2$，所以，此图只能填 A、B、C 三个质数

（两个 A、两个 B、两个 C. 以下：$A_1 = A_2$ 记为 A，$B_1 = B_2$ 记为 B，$C_1 = C_2$ 记为 C）

∵　6 个圆圈中的 6 个质数之和为 20，即：

$$2 \times (A + B + C) = 20$$
$$A + B + C = 10.$$

∴　10 分成三个质数之和只能是 $10 = 2 + 3 + 5$. 这样，A、B、C 分别是 2、3、5. 这时所填 6 个数的积是：

$$2 \times 2 \times 3 \times 3 \times 5 \times 5 = 900.$$

解：

【例 7】　能否将自然数 $1 \sim 10$ 填入五角星各交点的"○"内使每条直线上的 4 个数字之和都相等？

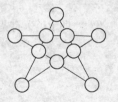

分析与解答　不能，用反证法.

假设可以填成数阵图，观察发现：

十个点中的每一个点恰好是两条直线的公共点. 因而全部直线（共 5 条）上数字总和，应该等于全部点上数字总和的 2 倍. 记每条直线上数字和为 S，则有

$$5S = (1 + 2 + 3 + \cdots + 10) \times 2,$$

从而解出 $S = 22$.

10 和 1 必同在某一直线上. 不然，如含有 10 的两条直线都不含有 1，这样，这两条线上 8 个数字（10 自然被计上两次）之和（本应为 $2S$）大于等于

$$2 \times 10 + 2 + 3 + 4 + 5 + 6 + 7 = 47 > 44 = 2S.$$

形成矛盾. 所以 10、1 必处同一直线.

此外，有三个数字与 10 不同线，不妨记为 x、y、z.

或

显然 $x+y+z=\{10$ 数总和$\}-\{$其余七个数和$\}$
而这 $\{$其余七个数和$\}$ 恰好为 $2S-10$. 所以 $x+y+z=55-2\times22+10=21$. 已推出 10，1 共线. 进一步看出，1 无论在什么位置都与 x、y、z 三数中的两个共线.

设 1 与 x、y 共线，此线上另一数设为 v.
则有 $1+x+y+v=22$，从而 $x+y+v=21$. 前已证 $x+y+z=21$，因而导致 $v=z$ 的矛盾. 其他情况推证类似，所以没有题设的填法.

习 题 九

1. 将 $1\sim9$ 这九个数字分别填入右图中的九个圆圈中，使各条边上的四个圆圈内的数的和相等.

2. 将 0.01、0.02、$\cdots$、0.09 这九个数分别填入右图九个圆圈内，使每条边上的四个圆圈内的数之和都等于 0.2.（此题与题 1 共用一图）

3. 在右图的空白的区域内分别填上 1、2、4、6 四个数，使每个圆中的四个数的和都是 15.

习题九解答

1. 解不惟一.

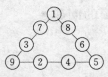 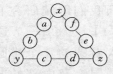

设每边和为 S，所填数用字母如上图表示：

$2x + 2y + 2z + a + b + c + d + e + f = 3S$

$(x + y + z) + 45 = 3S$

$\therefore \quad S = 15 + \dfrac{x + y + z}{3}$

$S_{最小} = 15 + \dfrac{1 + 2 + 3}{3} = 17.$

$S_{最大} = 15 + \dfrac{7 + 8 + 9}{3} = 23,$

S 可能的值

有 $S = 17$、18、19、20、21、22、23.

2. **3.**

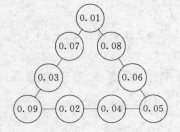

第**10**讲　有趣的数阵图（二）

下面我们继续研究有关数阵图的问题.

【例1】　将 $1 \sim 7$ 这七个自然数分别填入右图的 7 个小圆圈中，使三个大圆圆周上及内部的四个数之和都等于定数 S，并指出这个定数 S 的取值范围，最小是多少，最大是多少？并对 S 最小值填出数阵.

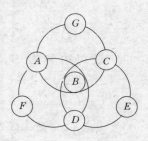

分析　为了叙述方便，用字母表示圆圈中的数. 通过观察，我们发现，三个大圆上，每个大圆上都有 4 个小圆，由题设每个大圆上的 4 个小圆之和为 S. 从图中不难看出：B 是三个圆的公共部分，A、C、D 分别是两个圆的公共部分而 E、F、G 仅各自属于一个圆. 这样三个大圆的数字和为：$3S = 3B + 2A + 2C + 2D + E + F + G$，而 A、B、$\cdots$、F、G 这 7 个数的全体恰好是 1、2、$\cdots$、6、7.

$\therefore \quad 3S = 1 + 2 + 3 + 4 + 5 + 6 + 7 + 2B + A + C + D.$

$3S = 28 + 2B + A + C + D.$

如果设 $2B + A + C + D = W$，要使 S 等于定数

$S = 9 + \dfrac{1}{3}(1 + 2B + A + C + D) \geqslant 9 + 4 = 13$

即　W 最小发生于 $B = 1$、$A = 2$、$C = 3$、$D = 4$

W 最大发生于 $B = 7$、$A = 6$、$C = 5$、$D = 4$，

综上所述，得出：

$13 \leqslant S \leqslant 19$ 即定数可以取 $13 \sim 19$ 中间的整数.

本题要求 $S = 13$，那么 $A = 2$、$B = 1$、$C = 3$、$D = 4$、$E = 5$、$F = 6$、$G = 7$.

注意：解答这类问题常常抓两个要点，一是某种共同的"和数"S.（同一条边上各数和，同一三角形上各数和，同一圆上各数和等等）.

二是全局考虑数阵的各数被相加的"次"数. 主要突破口是估算或确定出 S 的值. 从"中心数"B 处考虑.（B 是三个大圆的公共部分，常根据 S 来设定 B 的可能值. 这里重视 B 不是简单地看到 B 处于几何中心，主要因为 B 参与相加的次数最多）此处因为定数是 13，中心数可从 1 开始考虑. 确定了 S 和中心数 B，其他问题就容易解决了.

解：

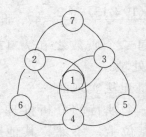

例 2　把 20 以内的质数分别填入右图的八个圆圈中，使圈中用箭头连接起来的每条路上的四个数之和都相等.

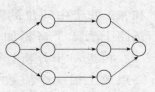

分析　观察右图，我们发现：

①有 3 条路，每条路上有 4 个数，且 4 个数相加的和要相等.

②图形两端的两个数是三条路的公共起点和终点. 因此只要使三条路上其余两个数的和相等，就可以确保每条路上的四个数的和相等.

③20 以内的质数共有 8 个，依次是 2、3、5、7、11、13、17、19. 如果能从这八个数中选出六个数凑成相等的三对数，问题就可迎刃而解. 如要分析，设起点数为 x，终点数为 y，每条路上 4 个数之和为 S，显然有：

$$3S = 2x + 2y + 2 + 3 + 5 + 7 + 11 + 13 + 17 + 19$$
$$= 2x + 2y + 77.$$

$$\therefore \quad S = \frac{2(x+y)+2}{3} + 25,$$

$$S_{最小} = 25 + \frac{2(2+3)+2}{3}$$

即　$S_{最小} = 29$，此时 $x = 2$，$y = 3$.

$$S_{最大} = 25 + \frac{2(19+13)+2}{3} = 47,$$ 此时 $x = 19$，$y = 13$，

但这时，中间二个质数之和为 $47 - (19 + 13) = 15$，但 $17 > 15$，17 无处填.

所以 $S = 47$ 是无法实现的.

这题还另有一个独特的分析推理. 即惟一的偶质数必处于起点或终点位上. 不然，其他路上为 4 个质数之和，2 处于中间位的路上. 这条路为 3 奇 1 偶相加，另两条路上为 4 个奇相加，形成矛盾.

再进一步分析，（终点，始点地位对称）始点放上 2，终点放上另一个质数，其他 6 个质数之和必为 3 的倍数. 而经试算，只有终点放上 3，而可满足的解法只有一种（已在下图中表出）.

解：

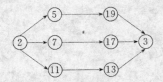

这样，轻而举地可得到：$5+19=24$，$7+17=24$，$11+13=24$.

【例3】 把 1、2、3、4、5、6、7、8 这八个数分别填入右图中的正方形的各个圆圈中，使得正方形每边上的三个数的和相等.

分析与解答 假设每边上的三数之和为 S，四边上中间圆圈内所填数分别为 a、b、c、d，那么：

$$a+c=b+d=(1+2+\cdots+8)-2S=36-2S$$

$$\therefore \quad 2S=36-(a+c)=36-(b+d)$$

$$\therefore \quad S_{最大}=18-\frac{1}{2}(2+4)=15$$

$$S_{最小}=18-\frac{1}{2}(8+4)=12$$

①若 $S=15$，则 $a+c=b+d=6$，又 $1+5=2+4=6$，试验可得下图

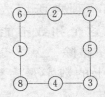

②若 $S=14$，则 $a+c=b+d=8$，又 $1+7=2+6=$

233

$3 + 5 = 8$，试验可得下两图

③若 $S = 13$，则 $a + c = b + d = 10$，又 $2 + 8 = 3 + 7 = 4 + 6 = 10$，试验可得下两图

④若 $S = 12$，则 $a + c = b + d = 12$，又 $4 + 8 = 5 + 7 = 12$，试验可得下图

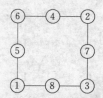

【例4】　在一个立方体各个顶点上分别填入 $1 \sim 9$ 这九个数中的八个数，使得每个面上四个顶点所填数字之和彼此相等，并且这个和数不能被那个没有被标上的数字整除.

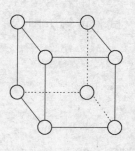

试求：没有被标上的数字是多少？并给出一种填数的方法.

234

分析　为了叙述方便，设没有被标上的数字为 a，S 是每个面上的四个顶点上的数字之和. 由于每个顶点数都属于 3 个面，所以得到：

$$6S = 3 \times (1+2+3+4+5+6+7+8+9) - 3a$$
$$6S = 3 \times 45 - 3a$$
$$2S = 45 - a \tag{1}$$

根据（1）式可看出：因为左边 $2S$ 是偶数，所以右边 $45-a$ 也必须是偶数，故 a 必须是奇数. 又因为根据题意，S 不能被 a 整除，而 2 与 a 互质，所以 $2S$ 不能被 a 整除，45 也一定不能被 a 整除.

在奇数数字 1、3、5、7、9 中，只有 7 不能整除 45，所以可以确定 $a = 7$.

解：$S = \dfrac{45-7}{2}$　　　$S = 19$.

这就证明正方体每个面上四个顶点所填数字之和是 19，解法如图.

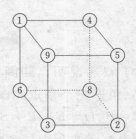

【例 5】　将 1～8 这八个数标在立方体的八个顶点上，使得每个面的四个顶点所标数字之和都相等.

分析　观察下图，知道每个顶点属于三个面，正方体有 6 个面，所以每个面的数字之和为：

$$(1+2+3+4+5+6+7+8) \times 3 \div 6 = 18.$$

这就是说明正方体每个面上四个顶点所填数字之和是 18. 下面有 3 种填法的提示，作为练习，请读者补充完整.

解：

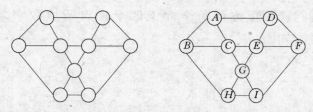

(1)　　　　　　(2)　　　　　　(3)

【例 6】　在下左图中，将 1~9 这九个数，填入圆圈内，使每个三角形三个顶点的数字之和都相等.

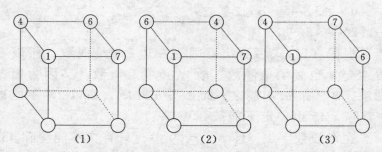

分析　为了便于叙述说明，圆圈内应填的数，先由字母代替. 设每个三角形三个顶点圆圈内的数字和为 S.

即：$A+B+C=S$、$D+E+F=S$、$G+H+I=S$、

$\quad C+G+E=S$、$A+G+D=S$、$B+H+E=S$、

$\quad C+I+F=S$.

将上面七个等式相加得到：

$2(A+B+C+D+E+F+G+H+I)+C+G+E=7S$.

即　$A+B+C+D+E+F+G+H+I=3S$

又 $\because$　A、B、C、D、E、F、G、H、I，分别代表

1～9 这九个数．即：

$$1+2+3+4+5+6+7+8+9=45.$$

$$3S=45$$

$$S=15.$$

这 15 就说明每个三角形三个顶点的数字之和是 15．

在 1～9 九个数中，三个数的和等于 15 的组合情况有以下 8 种即：（1、9、5）；（1、8、6）；（2、9、4）；（2、8、5）；（3、7、5）；（2、7、6）；（3、8、4）；（4、5、6）；观察九个数字在上述 8 种情况下出现的次数看，数字 2、4、5、6、8 都均出现了三次，其他数字均只出现两次，所以，符合题意的组合中的 2、8、5 和 4、5、6 可填入图中的圆圈内，这样就得到本题的两个解．

解：

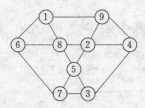 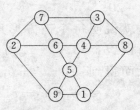

【例 7】　在有大小六个正方形的方框下左图中的圆圈内，填入 1～9 这九个自然数，使每一个正方形角上四个数字之和相等．

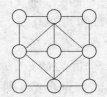 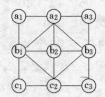

分析 为了叙述方便，我们将各个圆圈内填入字母，如上右图所示．如果设每个正方形角上四个数字之和为 S，那么图中六个正方形可得到：

$$a_1 + a_2 + b_1 + b_2 = S, \qquad a_2 + b_2 + a_3 + b_3 = S,$$
$$b_1 + b_2 + c_1 + c_2 = S, \qquad a_2 + b_3 + c_2 + b_1 = S,$$
$$b_2 + c_2 + b_3 + c_3 = S, \qquad a_1 + a_3 + c_3 + c_1 = S.$$

将上面的六个等式相加可得到：

$$2(a_1 + a_3 + c_3 + c_1) + 3(a_2 + b_3 + c_2 + b_1) + 4b_2 = 6S.$$

则 $\quad 4b_2 = S$

$$4(a_1 + a_3 + c_3 + c_1) + 4(a_2 + b_3 + c_2 + b_1) + 4b_2 = 9S.$$

于是有：

$$4(a_1 + a_2 + a_3 + b_1 + b_2 + b_3 + c_1 + c_2 + c_3) = 4 \times 45 = 9S.$$

$$9S = 4 \times 45$$

$$S = 20.$$

这就说明每个正方形角上四个数字之和为 20．

所以：$b_2 = 5$．

从而得到：$a_1 + a_2 + b_1 = a_2 + a_3 + b_3 = 15$，

$$b_1 + c_1 + c_2 = c_2 + c_3 + b_3 = 15.$$

由上面两式可得：$a_1 + b_1 = a_3 + b_3$，$b_1 + c_1 = b_3 + c_3$．

如果 a_2 为奇数，则 $a_1 + b_1$ 和 $a_3 + b_3$ 均为偶数．

① 若 a_1 为奇数，a_3 为偶数，则 b_1 为奇数，b_3 为偶数．因为 $a_2 + b_3 + c_2 + b_1 = 20$，所以 c_2 为偶数，则 c_1 为偶数，c_3 为奇数．但是 $a_1 + a_2 + 5 + b_1 = 20$，而奇数 1、3、5、7、9 中含有 5 的任意四个奇数的和不等于 20，有矛盾．

② 若 a_1 为偶数，a_3 为偶数，则 b_1 也为偶数，b_3 也为偶数．因为 $a_2 + b_3 + c_2 + b_1 = 20$，所以 c_2 为奇数，则 c_1 为偶数，c_3 为偶数，但 1～9 中只有 4 个偶数，有矛盾．

③若 a_1 为奇数，a_3 为奇数，则 b_1、b_3 也为奇数，这样
1～9中有六个奇数，有矛盾.

④若 a_1 为偶数，a_3 为奇数，情况与①相同.

综合上述，a_2 必为偶数.由对称性易知：b_2、c_2、b_1 也为
偶数.因此 a_1、a_3、c_3、c_1 全为奇数.

这样，就比较容易找到此解.

解：

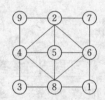

注：也可以这样想：因为 $1+2+3+4+5+6+7+8+9=45$，
中心数用 5 试填后，余下 40，那么大正方形、中正方形对角
数字之和一定为 10，比如：$2+8=10$、$3+7=10$、$1+9=10$、
$4+6=10$.再利用小正方形调整一下，便可以凑出结果了.

习　题　十

1．将 1～6 六个自然数字分别填入下图的圆圈内，使
三角形每边上的三数之和都等于定数 S，指
出这个定数 S 的取值范围.并对 $S=11$ 时
给出一种填法.

2．将 1～10 这十个自然数分别填入下
左图中的 10 个圆圈内，使五边形每条边上
的三数之和都相等，并使值尽可能大.

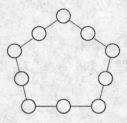 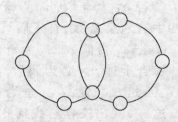

3．将 1～8 填入上右图中圆圈内,使每个大圆周上的五个数之和为 21.

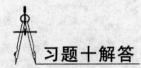习题十解答

1．分析　设三个顶点为 x、y、z,三条边上中点处放置 a、b、c,每边三数之和为 S.

则有 $2(x+y+z)+a+b+c=3S$.

对　$x+y+z+a+b+c$

$\quad = 1+2+\cdots+6 = 21$

$\therefore \quad S=7+\dfrac{1}{3}(x+y+z)$.

$S_{最小}=7+\dfrac{1}{3}(1+2+3)=9$.

$S_{最大}=7+\dfrac{1}{3}(4+5+6)=12$.

$\therefore$　定数 S 可取 9、10、11、12.

现题设 $S=11,\Longrightarrow x+y+z=12$.

经过试探、搜索知道:顶点放 2、4、6,而 2、4 之间放 5,2、6 之间放上 3,4、6 之间放上 1,即可.

2.

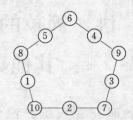

3.

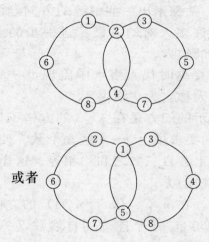

或者

第11讲 简单的幻方及 其他数阵图

有关幻方问题的研究在我国已流传了两千多年，它是具有独特形式的填数字问题．宋朝的杨辉将幻方命名为"纵横图."并探索出一些解答幻方问题的方法．随着历史的进展，许多人对幻方做了进一步的研究，创造了许多绚丽多彩的幻方．

据传说在夏禹时代，洛水中出现过一只神龟，背上有图有文，后人称它为"洛书".

洛书所表示的幻方是在 3×3 的方格子里（即三行三列），按一定的要求填上 $1 \sim 9$ 这九个数，使每行、每列、及二条对角线上各自三数之和均相等，这样的 3×3 的数阵阵列称为三阶幻方．

一般地说，在 $n \times n$（n 行 n 列）的方格里，既不重复又不遗漏地填上 n^2 个连续的自然数（一般从 1 开始，也可不从 1 开始）每个数占一格，并使排在任一行、任一列和两条对角线上的 n 个自然数的和都相等，这样的数表叫做 n 阶幻方．这个和叫做幻和，n 叫做阶．

杨辉在《续古摘奇算法》中，总结洛书幻方构造方法时写到："九子排列，上、下对易，左右相更，四维挺出."现用下图对这四句话进行解释．

```
    1              9              9
  4   2          4   2          4   2
7   5   3      7   5   3      7   5   3   7
  8   6          8   6          8   6
    9              1              1
```

4	9	2
3	5	7
8	1	6

　（1）　　　　　（2）　　　　　（3）　　　　　（4）

九子排列　　　上、下对易　　　左右相更　　　四维挺出

　　怎样构造幻方呢？一般方法是先求幻和，再求中间位置的数，最后根据奇、偶情况试填其他方格内的数.

　　下面我们就来介绍一些简单的幻方.

　　【例1】　将 1～9 这九个数，填入下左图中的方格中，使每行、每列、两条对角线上三个数字的和都相等.

A	B	C
D	E	F
G	H	I

　　分析　为了便于叙述，先用字母表示图中要填写的数字. 如上右图所示.

　　解答这个题目，可以分三步解决：

　　①先求出每行、每列三个数的和是多少？

　　②再求中间位置的数是多少？此题是求 $E = ?$

　　③最后试填其他方格里的数.

$\because$　$A + B + C + D + E + F + G + H + I$

　$= 1 + 2 + 3 + 4 + 5 + 6 + 7 + 8 + 9$

　$= 45.$

$\therefore$　$A + B + C = D + E + F = G + H + I = 15.$

$\therefore$　$B + E + H = A + E + I = C + E + G = 15.$

$\therefore$　$A + B + C + D + E + F + G + H + I + 3E$

$$= (A+E+I)+(B+E+H)+(C+E+G)+(D+E+F)$$
$$= 15 \times 4.$$
$$45 + 3E = 60$$
$$3E = 15$$
$$E = 5.$$

这样，正中央格中的数一定是5.

由于在同一条直线的三个数之和是15，因此若某格中的数是奇数，那么与这个数在同一条直线上的另两个数的奇偶性相同.

因此，四个角上的数 A、C、G、I 必为偶数.（否则，若 A 为奇数，则 I 为奇数. 此时若 B 为奇数，则其余所有格亦为奇数；若 B 为偶数，则其余所有格亦为偶数. 无论哪种情形，都与 1 至 9 中有 5 个奇数，4 个偶数这一事实矛盾.）

因此，B、D、F、H 为奇数.

我们不妨认为 $A=2$（否则，可把 3×3 方格绕中心块旋转即能做到这一点）. 此时 $I=8$.

此时有两种选择：$C=4$ 或 $G=4$. 因而，$G=6$ 或 $C=6$. 其他格的数随之而定.

因此，如果把经过中心块旋转而能完全重合的两种填数法视作一种的话，一共只有两种不同的填数法：$A=2$，$C=4$ 或 $A=2$，$G=4$（2，4 被确定位置后，其他数的位置随之而定）.

解：按照上面的分析，我们可以得到两个解（还有另外 6 个可以由这两个解经过绕中心块旋转而得到，请大家自己完成）.

2	9	4
7	5	3
6	1	8

2	7	6
9	5	1
4	3	8

【例2】　　在右图中的 A、B、C、D 处填上适当的数，使右图成为一个三阶幻方．

A	12	D
B	15	20
16	C	11

分析与解答　①从 1 行和 3 列得：

$$A + 12 + D = D + 20 + 11$$
$$A + 12 = 20 + 11$$
$$A = 19.$$

②观察对角线上的三个数的总和，实际上它即为每行、每列的三个数的和．对角线上的三个数的和：

$$A + 15 + 11 = 19 + 15 + 11 = 45.$$

③$B = 45 -（16 + 19）= 10.$

④$D = 45 -（20 + 11）= 14.$

⑤$C = 45 -（16 + 11）= 18.$

∴　$A = 19$、$B = 10$、$C = 18$、$D = 14.$

【例3】　　将右图中的数重新排列，使得横行、竖行、对角线上的三个数的和都相等．

22	30	38
22	30	38
22	30	38

分析　　已知题目中只给了 3 个数，22、30、38，而每个数都有 3 个．很显然，横行、竖行、对角线上的三个数的和是：$22 + 30 + 38 = 90.$

以 A、B、C 记这三个数．

如果使得每行、每列（先不要求对角线）都各有一个 A、B、C（容易知道，要满足题目要求，必须做到这一点），那么各行、各列的和都为 $A + B + C = 90.$

而这只有如下图所示的两种类型的排列方式．

A	B	C
C	A	B
B	C	A

A	B	C
B	C	A
C	A	B

其中第一图中由于 $A+A+A=90$，因此必须 $A=30$；第二图中 $C+C+C=90$，所以 $C=30$．其余各行、各列以及另一对角线上的三数之和都为 $A+B+C=90$．

在第一图中 B，C 可在 22、38 中任取；第二图中 A、B 可在 22、38 中任取．因此共有 4 种不同的重新排列法．

解：由分析可知，右图所示为 4 种不同的重新排列方法中的一种．

22	38	30
38	30	22
30	22	38

【例4】 将 1、2、3、4、5、6、7、8、9 这九个数字，分别填入 3×3 阵列中的九个方格，使第二行组成的三位数是第一行组成的三位数的 2 倍，第三行组成的三位数是第一行组成的三位数的 3 倍．

分析 这一例题比前三个例题要复杂些，但如果我们充分利用题目的要求和 1 至 9 这九个数的特性（五奇四偶），那么也能缩小每格中所应填的数的范围，直至完全确定每格中应填的数．为了方便起见，把九个格中的数字用 A 至 I 这九个英文字母代替．这样，例如 $C=2$，则 $F=4$，$I=6$．因而其余六格应包含全部奇数（1、3、5、7、9）和偶数 8．由于 $\overline{DEF}=2\times\overline{ABC}$，$\overline{GHI}=3\times\overline{ABC}$，所以 $\overline{GHI}=\overline{ABC}+\overline{DEF}$．因此又可把 3×3 方格中的数看作一个加式：前两行之和等于第三行．这对于我们用奇偶性去分析加式成立的可能性是有用的．由于个位上的加法没有

A	B	C
D	E	F
G	H	I

进位，因此十位上的三个数字不能都为奇数（否则将出现奇数＋奇数＝奇数的矛盾等式），即 8 一定是其中的一个十位数字，显然 $B \neq 8$（否则 $E = 6$，与 $I = 6$ 矛盾）．又 $H \neq 8$（否则，$B \leqslant \dfrac{8}{3}$，只有 $B = 1$．而当 $B = 1$ 时，H 至多为 5）．因此 $E = 8$，这样，$B = 9$，$H = 7$．最后，由于 $A < D < G$，必有 $A = 1$，$D = 3$，$G = 5$．由于 $192 \times 2 = 384$，$192 \times 3 = 576$，所以所填的数满足题目要求．

又如，$C = 4$，则 $F = 8$，$I = 2$．个位上的加式向十位进 1，因此十位上的三个数字都是奇数，因此 6 是一个百位数字．显然 $A \neq 6$．如果 $D = 6$，则必有 $A = 3$，$G = 9$．而 B、E、H 是 1、5、7 这三个数，要满足 $B + E + 1 = H$，只能 $B = 1$，$E = 5$，$H = 7$ 或 $B = 5$，$E = 1$，$H = 7$．由于 $314 \times 2 \neq 658$，$354 \times 2 \neq 618$，所以此时不满足题目要求．如果 $G = 6$，显然 $A < 3$，此时只有 $A = 1$，但当 $A = 1$ 时，$G <$（$1 + 1$）$\times 3 = 6$．因而当 $C = 4$ 时，不可能有满足题目要求的填法．

其他的情形可以类似地加以讨论，分别给出肯定的或否定的结论．

解：由分析，下左图是一种符合要求的填法．

1	9	2
3	8	4
5	7	6

2	1	9
4	3	8
6	5	7

由于作为一个加法算式（上两行的和等于第三行），上图只是在十位上的加式向百位进了 1，其他两个数位上都没有进位，因此把它的个位移到百位的位置上加式仍然成立，所以上右图也是一种符合要求的填法．

还有两种符合要求的填法，希望同学们利用分析中的方法把它们找出来.

【例5】 在九宫图中，第一行第三列的位置上填5，第二行第一列位置上填6，如下左图. 请你在其他方格中填上适当的数，使方阵横、纵、斜三个方向的三个数之和均为27.

		5
6		

A	B	5
6	C	D
E	F	G

分析 为了叙述方便，我们将其余方格用字母表示，如上右图所示. 根据题意可知：

$$A + B + 5 = 27 \tag{1}$$
$$5 + C + E = 27 \tag{2}$$
$$5 + D + G = 27 \tag{3}$$
$$6 + C + D = 27 \tag{4}$$
$$A + 6 + E = 27 \tag{5}$$
$$A + C + G = 27 \tag{6}$$
$$B + C + F = 27 \tag{7}$$
$$E + F + G = 27 \tag{8}$$

由（2）＋（4）＋（6）－（3）－（5）得知：

$3C = 27$ $C = 9$.

将 $C = 9$ 代入（4），$D = 12$ 代入（2），则 $E = 13$.

将 $D = 12$ 代入（3），则 $G = 10$.

将 $E = 13$ 代入（5），则 $A = 8$.

将 $A = 8$ 代入（1），则 $B = 14$.

将 $B = 14$、$C = 9$ 代入（7），则 $F = 4$.

解： 由分析可知，中心方格必须填数字

9，其他方格中也只有一种填法．见右图．

8	14	5
6	9	12
13	4	10

【例6】   请编出一个三阶幻方，使其幻

和为24．

分析   ①根据题意，要求其三阶幻方的幻和为24，

所以中心数为 $24 \div 3 = 8$ ．

②既然8是中心数，那么与8在一条直线的各个组

的其余两数的和为16，想一想哪两个数相加为16呢？

$1 + 15 = 16$ $2 + 14 = 26$ $3 + 13 = 16$

$4 + 12 = 16$ $5 + 11 = 16$ $6 + 10 = 16$

$7 + 9 = 16$

③按上述条件进行估算后填出，然后再进行调整即

可得正确的答案．

5	12	7
10	8	6
9	4	11

【例7】   如右图，将 $\frac{1}{2}$ 、 $\frac{1}{3}$ 、 $\frac{1}{4}$ 、 $\frac{1}{6}$

$\frac{2}{3}$ 、 $\frac{3}{4}$ 、 $\frac{1}{12}$ 、 $\frac{5}{12}$ 、 $\frac{7}{12}$ 九个数字分别填在右

图的圆内，使每一横行、每一竖行、两对

角线中三个数的和都相等．

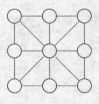

分析   解答这类问题，要想办法化难为易，从中找

到解答的方法．

①由于分数求和较繁，如果找到上述九个分数分母

的最小公倍，将分数扩大后转成整数，问题就易于解决．

$[2，3，4，6，12] = 12$，将九个分数分别扩大 12 倍，得到 6、4、3、2、8、9、1、5、7. 而 3×3 的幻方是熟知的. 如下图所示：

4	9	2
3	5	7
8	1	6

②将上图的每个数除以 12 就是所求.

解：

$\frac{1}{3}$	$\frac{3}{4}$	$\frac{1}{6}$
$\frac{1}{4}$	$\frac{5}{12}$	$\frac{7}{12}$
$\frac{2}{3}$	$\frac{1}{12}$	$\frac{1}{2}$

【例 8】 如下图的 3×3 的阵列中填入了 1～9 的自然数，构成大家熟知的 3 阶幻方. 现在另有一个 3×3 的阵列，请选择 9 个不同自然数填入 9 个方格中，使得其中最大者为 20，最小者大于 5，且要求横加、竖加、对角线方式相加的 3 个数之和都相等.

4	9	2
3	5	7
8	1	6

（1）　　　　　　　　（2）

分析 ①观察原表中的各数是从 1～9 不同的九个自然数，其中最大的数是 9，最小的数是 1，且横加、竖加、对角线方式相加结果相等.

②根据题意，要求新制的幻方最大数为 20，而 $9 + 11 = 20$，因此，如果原表中的各数都增加 11，就能符

合新表中的条件了.

解：

15	20	13
14	16	18
19	12	17

【例 9】　将 1～9 这九个数字分别填入下图中两分图中的空格内（其中 1 和 5 已填好，使得前两行构成的两个三位数之和等于第三行构成的三位数，并且当每格看成单独一个数时相邻（上、下或左、右）的两格内的数的奇、偶性不同.

（1）

（2）

分析　由题设条件（即把 3×3 阵列看成三位数的加式以及奇偶性的分布）可知，上图（1）中个位上的加式必向十位上进 1 位（因为偶数＋奇数≠偶数），而十位未向百位进位. 因此，第三行第三列的奇数小于 5，不等于 1，必为 3，进而第一列第一行和第三行的数分别为 7 和 9. 接着可把其余四格中的偶数相继确定.

解： 从对上图（1）的分析可得解如下图（1）. 对上图（2）进行类似的分析，可得解如下图（2）.

7	4	5
2	1	8
9	6	3

（1）

5	6	9
2	1	4
7	8	3

（2）

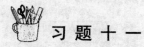

习 题 十 一

1. 在下图两分图的空格中填入不大于 15 且互不相同的自然数（其中已填好一个数），使每一横行、竖列和对角线上的三数之和都等于 30.

2. 将九个连续自然数填入 3 行 3 列的九个空格中，使每一横行及每一竖列的三个数之和都等于 60.

3. 将从 1 开始的九个连续奇数填入 3 行 3 列的九个空格中，使每一横行、每一竖列及两条对角线上的三个数之和都相等.

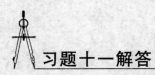 习题十一解答

1．提示：首先找出中心数为 10，然后设某一个空格数为 x，根据横行、竖列、对角线的和都等于 30，填上其余各数（含 x）再由各数互不相同，且不大于 15 确定各数．

7	11	12
15	10	5
8	9	13

9	7	14
15	10	5
6	13	11

2．提示：在三阶幻方的基础上每个数增加 15 即可．

19	24	17
18	20	22
23	16	21

3．提示：与三阶幻方类似．

7	17	3
5	9	13
15	1	11

第*12*讲　数字综合题选讲

数字指的是 0、1、2、3、4、5、6、7、8、9 这十个．数字问题不但有趣，而且还会使我们的思维活跃，思路开阔．

在解答数字问题时，主要用到下面一些知识：

①奇偶数的性质：奇数 ± 奇数 ＝ 偶数

偶数 ± 偶数 ＝ 偶数

奇数 ± 偶数 ＝ 奇数

②自然数被 9、11 整除的特征：

一个自然数若它的各个数位上的数字和能被 9 整除，那么这个自然数必能被 9 整除．反之也成立．

（更一般地，一个自然数除以 9 的余数与它的各个数位上的数字和除以 9 的余数相同．）

一个自然数若它的奇数位上的数字和与偶数位上的数字和的差能被 11 整除，那么这个自然数必能被 11 整除．反之也成立．

③自然数分类的思想：分类时注意不重不漏，即某个自然数必属于某一类而且只能属于一类．

此外，还要用到加、减法中数位上的进位、借位，乘法中积的奇偶性与各个乘数的奇偶性的关系，…等等一些知识．

【例 1】　一个四位数，它的个位数字为 2，如果将个位数字移作千位数字，原来的千位数字移作百位数字，原来的百位数字移作十位数字，原来的十位数字移作个位数字，那么所得的新数比原数少2889，原数是多少？

解：设原数为 $\overline{abc2}$，根据题目条件，所得新数则为 $\overline{2abc}$．列出加法算式为：

$$
\begin{array}{r}
2\ a\ b\ c \\
+\ 2\ 8\ 8\ 9 \\
\hline
a\ b\ c\ 2
\end{array}
$$

这时，此题转为一个数字迷的问题．突破口选在个位．

个位上：$c+9=12$，可得出 $c=3$．

十位上：$b+8+1=13$，可得出 $b=4$．

百位上：$a+8+1=14$．可得出 $a=5$．

千位上：$2+2+1=5$．

因此，所求的四位数为 5432．

【例 2】　自然数列（A）：1、2、3、4、5、6、7、8、9、10、11、12、…，把这个数列中一位以上的数的数字全部隔开，作成了新的数列（B）：1、2、3、4、5、6、7、8、9、1、0、1、1、1、2、….

①（A）数列中的 100 这个数，个位上的数字 0 在（B）中是第多少个数字？

②（B）中的第 100 个数字，是（A）中的第几个数的哪一位上的数字？它是什么？

③到（B）的第 100 个数字为止，数字 3 共有多少个？

解：①把（A）中的 1～100 这 100 个自然数进行分类：

一位数：1～9　共 9 个数字．

两位数：$10 \sim 99$　共 $20 \times 90 = 180$（个）数字.

三位数：100　共 3 个数字.

因此，（A）中的 100 这个数，个位上的数字 0 在（B）中是第　$9 + 180 + 3 = 192$（个）数字.

②（B）中的前 100 个数字，把所有一位数减去，还剩 $100 - 9 = 91$（个）数字.

由于每一个两位数可以隔成两个数字，所以由 $91 \div 2 = 45 \cdots\cdots 1$ 可知，（B）中的第 100 个数字，是（A）中的第 46 个两位数的十位数字.

$46 + 10 - 1 = 55$，故（B）中的第 100 个数字为（A）中的 55 的十位数字，它是 5.

③由于 55 的十位数字不是 3，所以可考虑 $1 \sim 54$ 这 54 个自然数.

个位为 3 的自然数有：3、13、23、33、43、53，个位上共有 6 个 3.

十位为 3 的自然数有：$30 \sim 39$，十位上共有 10 个 3.

因此，到（B）的第 100 个数字为止，数字 3 共出现了：$6 + 10 = 16$（个）.

【例 3】　从 1、5、9、13、…、993 中，任意找出 199 个数，把它们乘起来，积的个位数字是什么？

解：在 1、5、9、…、993 中，共有 249 个自然数.

由于奇数的个位数字只能为：1、3、5、7、9，因此把这些奇数分为两类：

一类是个位数字为 5 的：5、25、…、985 共 50 个自然数.

另一类是个位数字不为 5 的：共有 $249 - 50 = 199$（个）自然数.

256

任意取出的这 199 个自然数分成两种情况进行考虑：

①若这 199 个自然数中，含有个位数字为 5 的，则这 199 个数的乘积的个位必为 5.

②若这 199 个自然数中，不含个位数字为 5 的，则这 199 个数的乘积的个位数字为：

$$\underbrace{(1 \times 9 \times 3 \times 7) \times \cdots \times (1 \times 9 \times 3 \times 7)}_{\text{共}(199-3) \div 4 = 49(\text{组})} \times (1 \times 9 \times 3) \text{的}$$

个位数字.

$1 \times 9 \times 3 \times 7$ 的个位数字为 9，则

$\underbrace{(1 \times 9 \times 3 \times 7) \times \cdots \times (1 \times 9 \times 3 \times 7)}_{49\text{组}}$ 的个位数字也为 9，

因此 $\underbrace{(1 \times 9 \times 3 \times 7) \times \cdots \times (1 \times 9 \times 3 \times 7)}_{49\text{组}} \times (1 \times 9 \times 3)$ 的

个位数字为 3.

综上所述，这 199 个数的乘积的个位数字为 3 或 5.

说明：对于比较复杂的情况，经常用分类的想法进行考虑，从而得到问题的完整答案. 对于此题，同学们不妨思考一下：若从中取出 198 或 200 个数，结论又是怎样？

【例 4】　把 1、2、3、4、5、6 这六个数字分别填入右面的表格中，每格只填一个数字，使每一行右边的数字比左边的大，每一列下面的数字比上面的大，共有多少种不同的填法？

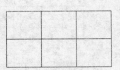

分析　为了叙述方便，我们先把这六个空格中所填的数字用字母 a、b、c、d、e、f 来表示.

因为在这六个数字中，1 最小，6

最大，所以先考虑 1 和 6 这两个数字.

1 只能填在 a 处，因为 1 若填在其他五个格中，则从剩下的五个数字中找不出比 1 还小的数填在 1 的左边或上面. 6 只能填在 f 处（同理）.

现在考虑 5. 5 只能填在 c 处或 e 处. 因为 5 若放在 b 处或 d 处，则从剩下的 2、3、4 中找不出比 5 大的数填在 e 处.

①若 $c=5$，则 b、d、e 三格只能填 2、3 和 4 这三个数字，因为 $e>b$，且 $e>d$，所以 $e=4$，共有以下两种填法：

$b=2$，$d=3$，$e=4$ 和 $b=3$，$d=2$，$e=4$.

②若 $e=5$，则 b、c、d 三格只能填 2、3 和 4，因为 $c>b$，所以 $c=3$ 或 4，共有以下三种填法：

$b=2$，$c=3$，$d=4$； $b=2$，$c=4$，$d=3$

和 $b=3$，$c=4$，$d=2$.

综上所述，共有 5 种不同的填法.

解：共有 5 种不同的填法，它们是：

1	2	5		1	3	5		1	2	3		1	2	4		1	3	4
3	4	6		2	4	6		4	5	6		3	5	6		2	5	6

说明：在考虑 1 和 6 以后，也可以接着考虑 2，请同学们不妨试一试.

【例5】 任取一个四位数乘以 9801，用 A 表示其积的各位数字之和，用 B 表示 A 的各位数字之和，用 C 表示 B 的各位数字之和，那么 C 为多少？

解：任一个四位数乘以 9801 的积，必然小于 98010000，数字和最大不超过 97999999 的数字和，即

$A \leqslant 9 \times 7 + 7 = 70$.

在小于 70 的两位数中，数字和最大的为 69，$6 + 9 = 15$，因此 $B \leqslant 15$.

在小于 15 的自然数中，数字和最大的为 9，所以 $C \leqslant 9$. 因为 9801 能被 9 整除，所以四位数与 9801 的积也能被 9 整除，所以 A、B、C 均能被 9 整除，因此 $C = 9$.

【例 6】　用 1～9 这九个数字组成一个没有重复数字的九位数，且能被 11 整除，问这个九位数最大是多少？

解法 1：先把由 1～9 这九个数字组成的没有重复数字的最大九位数排出来为：987654321.

因为 $(9 + 7 + 5 + 3 + 1) - (8 + 6 + 4 + 2) = 5$，所以 987654321 不能被 11 整除.

适当调换偶数位与奇数位上的数字，使调换后奇数位上的数字和与偶数位上的数字和的差为 11 的倍数. 因为在 5 个奇数，4 个偶数之间进行加、减法运算（每个数只用一次）所得的结果必定为奇数，因此不能使奇数位上的数字和与偶数位上的数字和的差变为偶数，只能为奇数. 因此，应使两者的差从 5 变为 11.

$11 - 5 = 6$，$6 \div 2 = 3$，所以把 1 与 4 对换，得 987651324 能被 11 整除.

为使这个九位数为最大，再次进行调换，98765 1 3 2 4，即 2 与 1 对换，3 与 4 对换.（这次调换只能是奇数位上的数字互换，偶数位上的数字互换，这样调换后的九位数仍能被 11 整除.）

因此，得所求的九位数为 987652413.

解法 2：设所求九位数为 $N = \overline{a_1 a_2 a_3 a_4 a_5 a_6 a_7 a_8 a_9}$，$a_1 \sim a_9$ 分别代表 1～9 中的某个数字.

设　$A = a_1 + a_3 + a_5 + a_7 + a_9$

　　$B = a_2 + a_4 + a_6 + a_8$

因为所求的是最大数，所以设前四位为：$\overline{9876\cdots}$.

因为　$\begin{cases} A + B = 1 + 2 + \cdots + 9 = 45 \\ A - B = 11k \end{cases}$

k 是 0 或自然数.

由于 $A + B = 45$，所以 A、B 必然为一个奇数一个偶数，于是 $A - B$ 为奇数，故取 $k = 1$

则　$\begin{cases} A + B = 45 \\ A - B = 11 \end{cases}$

解出　$\begin{cases} A = 28 \\ B = 17 \end{cases}$

$a_6 + a_8 = 17 - (8 + 6) = 3$，

3 只能等于 1 和 2 这两个自然数的和，所以合要求的九位数为 987652413.

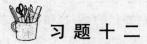 习 题 十 二

1. 一个四位数，划掉它的个位数字得第二个数；划掉它的个位、十位上的数字得第三个数. 已知这三个数的和为 4212，求这个四位数.

2. 已知数 $87888990\cdots153154155$ 是由自然数 87 到 155 依次排列而成的，从左至右第 88 位上的数字是几？

3. 把 4444^{4444} 写成多位数时，它的各个数位上的数字和为 A，A 的各个数位上的数字和为 B，求 B 的各个数位上的数字和.

4. 把 1~9 这九个数字填入下面的九个空格中，每个

空格只填一个数字，每个数字只许用一次．问能否使每相邻三个格内数字之和均小于 14？若能，给出一种具体的填法；若不能，请说明道理．

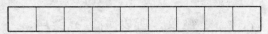

5．1、7、13、19、…、1003 中，任意找出 135 个数，把它们乘起来，积的个位数字是什么？

6．用 1～9 这九个数字组成没有重复数字的九位数，且能被 11 整除，问这个九位数最小是几？

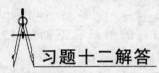

习题十二解答

1．所求四位数为 3796．

2．从左至右的第 88 位上的数字为 120 的十位数字，是 2．

3．B 的数码和为 7．

4．解：设填入九个格中的数字依次为 a_1、a_2、…、a_9．

设　$a_1 + a_2 + a_3 \leqslant 13$

$a_2 + a_3 + a_4 \leqslant 13$

…

$a_6 + a_7 + a_8 \leqslant 13$

$a_7 + a_8 + a_9 \leqslant 13$

把上面七个式子相加，便得到：

$a_1 + 2a_2 + 3(a_3 + a_4 + \cdots + a_7) + 2a_8 + a_9 \leqslant 91$

即　$3(a_1 + a_2 + \cdots + a_9) - 2(a_1 + a_9) - (a_2 + a_8) \leqslant 91$

由于 $a_1 + a_2 + \cdots + a_9 = 1 + 2 + \cdots + 9 = 45$

所以

$2(a_1+a_9)+(a_2+a_8)\geqslant44.$ (1)

由于 $a_2+a_8\leqslant8+9=17$，

所以 $a_1+a_9\geqslant\dfrac{44-17}{2}=\dfrac{27}{2}=13.5$.

因为 a_1、a_9 是整数，所以 $a_1+a_9\geqslant14$.

显然：$a_1=6$，$a_9=8$，$a_2=7$ 或 9，$a_8=9$ 或 7；

$a_1=8$，$a_9=6$，$a_2=7$ 或 9，$a_8=9$ 或 7 为（1）的四组解.

把这四组解统一地记为：

$(\{a_1,a_9\},\{a_2,a_8\})=(\{6,8\},\{7,9\})$.

容易知道，（1）的解只有下面的 13 种（每一种表示四组解）：

$(\{6,8\},\{7,9\})$，$(\{6,9\},\{7,8\})$，

$(\{7,8\},\{5,9\})$，$(\{7,8\},\{6,9\})$，

$(\{7,9\},\{4,8\})$，$(\{7,9\},\{5,8\})$，

$(\{7,9\},\{6,8\})$，$(\{8,9\},\{3,7\})$，

$(\{8,9\},\{4,7\})$，$(\{8,9\},\{5,7\})$，

$(\{8,9\},\{6,7\})$，$(\{8,9\},\{4,6\})$，

$(\{8,9\},\{5,6\})$.

显然，其中任意一都不能同时满足：

$a_1+a_2\leqslant12$，$a_8+a_9\leqslant12$.

因此，不能使每相邻三个格内的数字之和都小于 14.

5．积的个位数字为 5 或 9.

6．符合条件的九位数为：123475869.

第13讲 三角形的等积变形

我们已经掌握了三角形面积的计算公式：

三角形面积＝底×高÷2

这个公式告诉我们：三角形面积的大小，取决于三角形底和高的乘积．如果三角形的底不变，高越大（小），三角形面积也就越大（小）．同样若三角形的高不变，底越大（小），三角形面积也就越大（小）．这说明：当三角形的面积变化时，它的底和高之中至少有一个要发生变化．但是，当三角形的底和高同时发生变化时，三角形的面积不一定变化．比如当高变为原来的 3 倍，底变为原来的 $\frac{1}{3}$，则三角形面积与原来的一样．这就是说：一个三角形的面积变化与否取决于它的高和底的乘积，而不仅仅取决于高或底的变化．同时也告诉我们：一个三角形在面积不改变的情况下，可以有无数多个不同的形状．本讲即研究面积相同的三角形的各种形状以及它们之间的关系．

为便于实际问题的研究，我们还会常常用到以下结论：

①等底等高的两个三角形面积相等．

②底在同一条直线上并且相等，该底所对的角的顶点是同一个点或在与底平行的直线上，这两个三角形面积相等．

③若两个三角形的高（或底）相等，其中一个三角形的底（或高）是另一个三角形的几倍，那么这个三角

263

形的面积也是另一个三角形面积的几倍.

例如在右图中, 若 △ABD 与 △AEC 的底边相等 ($BD = DE = EC = \frac{1}{3}BC$), 它们所对的顶点同为 A 点, (也就是它们的高相等) 那么这两个三角形的面积相等.

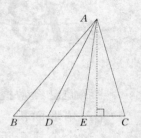

同时也可以知道 △ABC 的面积是 △ABD 或 △AEC 面积的 3 倍.

例如在右图中, △ABC 与 △DBC 的底相同 (它们的底都是 BC), 它所对的两个顶点 A、D 在与底 BC 平行的直线上, (也就是它们的高相等), 那么这两个三角形的面积相等.

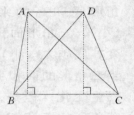

例如右图中, △ABC 与 △DBC 的底相同 (它们的底都是 BC), △ABC 的高是 △DBC 高的 2 倍 (D 是 AB 中点, AB = 2BD, 有 AH = 2DE), 则 △ABC 的面积是 △DBC 面积的 2 倍.

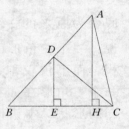

上述结论, 是我们研究三角形等积变形的重要依据.

【例1】 用四种不同的方法, 把任意一个三角形分成四个面积相等的三角形.

方法1: 如右图, 将 BC 边四等分 ($BD = DE = EF = FC = \frac{1}{4}BC$), 连结 AD、AE、AF. 则 △ABD、△ADE、△AEF、△AFC

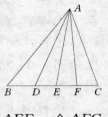

264

等积.

方法 2：如右图，先将 BC 二等分，分点 D、连结 AD，得到两个等积三角形，即 $\triangle ABD$ 与 $\triangle ADC$ 等积. 然后取 AC、AB 中点 E、F，并连结 DE、DF. 以而得到四个等积三角形，即 $\triangle ADF$、$\triangle BDF$、$\triangle DCE$、$\triangle ADE$ 等积.

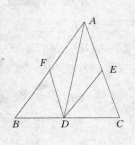

方法 3：如右图，先将 BC 四等分，即 $BD = \dfrac{1}{4}BC$，连结 AD，再将 AD 三等分，即 $AE = EF = FD = \dfrac{1}{3}AD$，连结 CE、CF，从而得到四个等积的三角形，即 $\triangle ABD$、$\triangle CDF$、$\triangle CEF$、$\triangle ACE$ 等积.

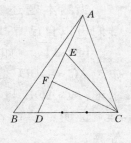

【例 2】　用三种不同的方法将任意一个三角形分成三个小三角形，使它们的面积比为 $1:3:4$.

方法 1：如下左图，将 BC 边八等分，取 $1:3:4$ 的分点 D、E，连结 AD、AE，从而得到 $\triangle ABD$、$\triangle ADE$、$\triangle AEC$ 的面积比为 $1:3:4$.

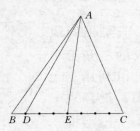

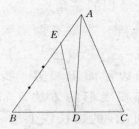

方法2：如上右图，先取 BC 中点 D，再取 AB 的 $\frac{1}{4}$ 分点 E，连结 AD、DE，从而得到三个三角形：$\triangle ADE$、$\triangle BDE$、$\triangle ACD$．其面积比为 $1:3:4$．

方法3：如右图，先取 AB 中点 D，连结 CD，再取 CD 上 $\frac{1}{4}$ 分点 E，连结 AE，从而得到三个三角形；$\triangle ACE$、$\triangle ADE$、$\triangle BCD$，其面积比为 $1:3:4$．

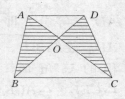

当然本题还有许多种其他分法，同学们可以自己寻找解决．

【例3】 如右图，在梯形 $ABCD$ 中，AC 与 BD 是对角线，其交点 O，求证：$\triangle AOB$ 与 $\triangle COD$ 面积相等．

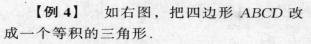

证明：$\because$ $\triangle ABC$ 与 $\triangle DBC$ 等底等高，

$\therefore S_{\triangle ABC} = S_{\triangle DBC}$

又 $\because S_{\triangle AOB} = S_{\triangle ABC} - S_{\triangle BOC}$

$\qquad S_{\triangle DOC} = S_{\triangle DBC} - S_{\triangle BOC}$

$\therefore S_{\triangle AOB} = S_{\triangle COD}$

【例4】 如右图，把四边形 $ABCD$ 改成一个等积的三角形．

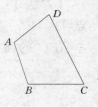

分析 本题有两点要求，一是把四边形改成一个三角形，二是改成的三角形与原四边形面积相等．我们可以利用三角形等积变形的方法，如右图，把顶点 A 移到 CB 的延长线上的 A' 处，$\triangle A'BD$ 与 $\triangle ABD$ 面积相等，从而 $\triangle A'DC$ 面积

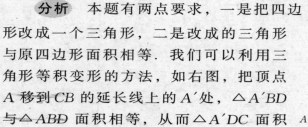

与原四边形 *ABCD* 面积也相等. 这样就把四边形 *ABCD* 等积地改成了三角形△*A′DC*. 问题是 *A′* 位置的选择是依据三角形等积变形原则. 过 *A* 作一条和 *DB* 平行的直线与 *CB* 的延长线交于 *A′* 点.

　　解：①连结 *BD*；

　　　　　②过 *A* 作 *BD* 的平行线, 与 *CB* 的延长线交于 *A′*.

　　　　　③连结 *A′D*, 则△*A′CD* 与四边形 *ABCD* 等积.

　　例 5　如右图, 已知在△*ABC* 中, *BE* = 3*AE*, *CD* = 2*AD*. 若△*ADE* 的面积为 1 平方厘米. 求三角形 *ABC* 的面积.

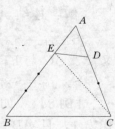

　　解法 1：连结 *BD*, 在△*ABD* 中

　　∵　*BE* = 3*AE*,

　　∴　$S_{\triangle ABD} = 4S_{\triangle ADE} = 4$（平方厘米）.

　　在△*ABC* 中, ∵　*CD* = 2*AD*,

　　∴　$S_{\triangle ABC} = 3S_{\triangle ABD} = 3 \times 4 = 12$（平方厘米）.

　　解法 2：连结 *CE*, 如右图所示, 在△*ACE* 中,

　　∵　*CD* = 2*AD*,

　　∴　$S_{\triangle ACE} = 3S_{\triangle ADE} = 3$（平方厘米）.

　　在△*ABC* 中, ∵　*BE* = 3*AE*

　　∴　$S_{\triangle ABC} = 4S_{\triangle ACE}$

　　　　　　$= 4 \times 3 = 12$（平方厘米）.

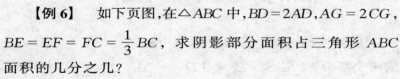

　　【例 6】　如下页图, 在△*ABC* 中, *BD* = 2*AD*, *AG* = 2*CG*, *BE* = *EF* = *FC* = $\frac{1}{3}BC$, 求阴影部分面积占三角形 *ABC* 面积的几分之几?

解：连结 BG，在 $\triangle ABG$ 中，

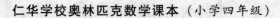

$\because \quad BD = 2AD$，$\therefore \quad S_{\triangle ADG} = \dfrac{1}{3} S_{\triangle ABG}$，

在 $\triangle ABC$ 中，

$\because \quad AG = 2CG$，$\therefore \quad S_{\triangle ABG} = \dfrac{2}{3} S_{\triangle ABC}$，

$\therefore \quad S_{\triangle ADG} = \dfrac{1}{3} \times \dfrac{2}{3} S_{\triangle ABC} = \dfrac{2}{9} S_{\triangle ABC}$.

同理 $S_{\triangle BDE} = \dfrac{2}{9} S_{\triangle ABC}$；$S_{\triangle CFG} = \dfrac{1}{9} S_{\triangle ABC}$.

$\therefore \quad S_{\triangle ADG} + S_{\triangle BDE} + S_{\triangle CFG}$

$= \left(\dfrac{2}{9} + \dfrac{2}{9} + \dfrac{1}{9} \right) S_{\triangle ABC} = \dfrac{5}{9} S_{\triangle ABC}$

$\therefore \quad$ 阴影部分面积 $= \left(1 - \dfrac{5}{9} \right) S_{\triangle ABC} = \dfrac{4}{9} S_{\triangle ABC}$.

【例 7】 如右图，$ABCD$ 为平行四边形，EF 平行 AC，如果 $\triangle ADE$ 的面积为 4 平方厘米. 求三角形 CDF 的面积.

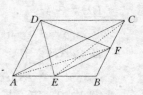

解：连结 AF、CE，

$\therefore \quad S_{\triangle ADE} = S_{\triangle ACE}$；$S_{\triangle CDF} = S_{\triangle ACF}$；

又 $\because \quad AC$ 与 EF 平行，$\therefore \quad S_{\triangle ACE} = S_{\triangle ACF}$；

$\therefore \quad S_{\triangle ADE} = S_{\triangle CDF} = 4$（平方厘米）.

【例 8】 如右图，四边形 $ABCD$ 面积为 1，且 $AB = AE$，$BC = BF$，$DC = CG$，$AD = DH$. 求四边形 $EFGH$ 的面积.

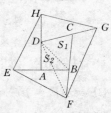

解：连结 BD，将四边形 $ABCD$ 分成两个部分 S_1 与 S_2. 连结 FD，

有 $S_{\triangle FBD} = S_{\triangle DBC} = S_1$

所以 $S_{\triangle CGF} = S_{\triangle DFC} = 2S_1$.

同理　$S_{\triangle AEH} = 2S_2$，

因此 $S_{\triangle AEH} + S_{\triangle CGF} = 2S_1 + 2S_2 = 2（S_1 + S_2）= 2 \times 1 = 2$.

同理，连结 AC 之后，可求出 $S_{\triangle HGD} + S_{\triangle EBF} = 2$ 所以四边形 $EFGH$ 的面积为 $2 + 2 + 1 = 5$（平方单位）.

【**例 9**】　如右图，在平行四边形 $ABCD$ 中，直线 CF 交 AB 于 E，交 DA 延长线于 F，若 $S_{\triangle ADE} = 1$，求 $\triangle BEF$ 的面积.

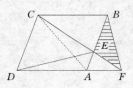

解：连结 AC，$\because$　$AB \parallel CD$，

$\therefore$　$S_{\triangle ADE} = S_{\triangle ACE}$

又$\because$　$AD \parallel BC$，$\therefore$　$S_{\triangle ACF} = S_{\triangle ABF}$

而　$S_{\triangle ACF} = S_{\triangle ACE} + S_{\triangle AEF}$：$S_{\triangle ABF} = S_{\triangle BEF} + S_{\triangle AEF}$

$\therefore$　$S_{\triangle ACE} = S_{\triangle BEF}$　$\therefore$　$S_{\triangle BEF} = S_{\triangle ADE} = 1$.

 习 题 十 三

一、选择题（有且只有一个正确答案）：

1. 如下左图，在 $\triangle ABC$ 中，D 是 BC 中点，E 是 AD 中点，连结 BE、CE，那么与 $\triangle ABE$ 等积的三角形一共有____个.

(A) 0 个　　(B) 1 个　　(C) 2 个　　(D) 3 个

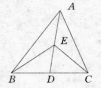

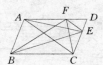

2．如上页右图，在平行四边形 $ABCD$ 中，EF 平行 AC，连结 BE、AE、CF、BF 那么与 $\triangle BEC$ 等积的三角形一共有____个．

（A）0个　　（B）1个　　（C）2个　　（D）3个

3．如下左图，在梯形 $ABCD$ 中，共有八个三角形，其中面积相等的三角形共有____对．

（A）0对　　（B）1对　　（C）2对　　（D）3对

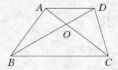
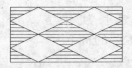

4．如上右图，是一个长方形花坛，阴影部分是草地，空地是四块同样的菱形，那么草地与空地面积之比是____．

（A）1：1　　（B）1：1.1　　（C）1：1.2

（D）1：1.45．如右图，长方形 $AEGK$ 四周上共有 12 个点，相邻两点的距离都是 1 厘米，以这些点为顶点构成的三角形面积是 3 平方厘米的共有____个．

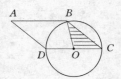

（A）24个　　（B）25个　　（C）26个　　（D）27个

二、填空题：

1．如下左图，A、B 两点是长方形长和宽的中点，那么阴影部分面积占长方形面积的____．

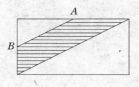

2．如上页右图，平行四边形 *ABCD* 的面积是 40 平方厘米，图中阴影部分的面积是____．

3．如下左图，正方形 *ABCD* 的面积为 1 平方厘米，$S_{\triangle BEG} : S_{\triangle CEG} = 2 : 1$，$S_{\triangle CFG} : S_{\triangle DFG} = 1 : 1$，那么这四个小三角形面积之和____．

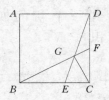

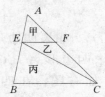

4．如上右图，在△*ABC* 中，*EF* 平行 *BC*，*AB* = 3*AE*，那么三角形甲、乙、丙面积的连比是____．

三、解答题：

1．如下左图，*D*、*E*、*F* 分别是 *BC*、*AD*、*BE* 的三等分点，已知 $S_{\triangle ABC} = 27$ 平方厘米，求 $S_{\triangle DEF}$．

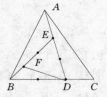

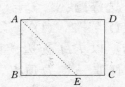

2．如右图，*E* 是长方形 *ABCD* 的 *BC* 上一点，使 $S_{\triangle ABE} = \frac{1}{2} S_{梯形 AECD}$，*BC* = 9 厘米，求 *BE* 是多少厘米．

3．如下页左图，在平行四边形 *ABCD* 中，*E*、*F* 分别是 *AC*、*BC* 的三等分点，且 $S_{ABCD} = 54$ 平方厘米，求 $S_{\triangle BEF}$．

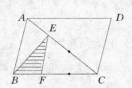

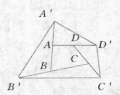

4．如上右图，将四边形 $ABCD$ 各边都延长一倍至 A'、B'、C'、D'．连接这些点得到一个新的四边形 $A'B'C'D'$．如果四边形 $ABCD$ 的面积是 1，求四边形 $A'B'C'D'$ 的面积．

5．如右图，在四边形 $ABCD$ 中，对角线 AC、BD 交于 E，且 $AF = CE$，$BG = DE$，如果四边形 $ABCD$ 的面积是 1，求 △EFG 的面积？

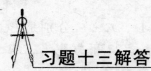

习题十三解答

一、选择题：

1．（D）　　2．（D）　　3．（D）　　4．（A）　　5．（C）．

提示：以 KH 为边，再在对边的五个点 A、B、C、D、E 中任取一点为顶点，可分别构成 5 个面积为 3 平方厘米的三角形．同理，以 JG、AD、BE 为边也各自可以构成 5 个面积为 3 平方厘米的三角形．又因为 △AFI、△BFJ、△CFK、△ELI、△DLH 和 △CLG 也是面积为 3 平方厘米的三角形．所以面积为 3 平方厘米的三角形一共有 26 个．

二、填空题：

1．$\frac{3}{8}$；　　　2．10 平方厘米；　　　3．$\frac{3}{10}$ 平方厘米．

提示：如右图连结 BD，

设 $\mathrm{I} = S_{\triangle BEG}$，$\mathrm{II} = S_{\triangle CEG}$，

$\mathrm{III} = S_{\triangle CFG}$，$\mathrm{IV} = S_{\triangle DFG}$，

设 $S_1 = \mathrm{I} + \mathrm{II}$，$S_2 = \mathrm{III} + \mathrm{IV}$，

$S_3 = S_{\triangle BDG}$.

$\because$ $\mathrm{III} = \mathrm{IV}$ $\therefore$ F 为 CD 中点，有：

$S_{\triangle BCF} = S_{\triangle BDF}$，

又 $\because$ $\mathrm{III} = \mathrm{IV}$，$\therefore$ $S_{\triangle BGD} = S_{\triangle BCG}$，

即 $S_3 = S_1$，由已知 I 为 II 的 2 倍，$\therefore$ $BE = 2EC$，

$\therefore$ $S_{\triangle BDE} = 2S_{\triangle CDE}$，两边分别减去 I 和 $2\mathrm{II}$，

可得：$S_{\triangle BDG} = 2S_{\triangle CDG}$，即 $S_3 = 2S_2$，因此：

$S_2 = \dfrac{1}{5} S_{\triangle BCD} = \dfrac{1}{5} \times \dfrac{1}{2} = \dfrac{1}{10}$，所以 $S_1 = 2S_2 = \dfrac{2}{10}$，

故所求四个三角形面积为 $\dfrac{1}{10} + \dfrac{2}{10} = \dfrac{3}{10}$.

4．甲：乙：丙 $= 1:2:6$，

提示：$\because$ $EF /\!/ BC$，$AB = 2AE$

$\therefore$ $AC = 3AF$，$BC = 3EF$，$\therefore$ 甲：乙 $= 1:2$，

又 $\because$ （甲 + 乙）：丙 $= 1:2$

$\therefore$ 甲：乙：丙 $= 1:2:6$.

三、解答题：

1．解：$S_{\triangle ACD} = \dfrac{1}{3} S_{\triangle ABC} = \dfrac{1}{3} \times 27 = 9$ 平方厘米，

$S_{\triangle ABD} = \dfrac{2}{3} S_{\triangle ABC} = \dfrac{2}{3} \times 27 = 18$ 厘米，

$S_{\triangle ABE} = \dfrac{1}{3} S_{\triangle ABD} = \dfrac{1}{3} \times 18 = 6$ 平方厘米，

$\therefore$ $S_{\triangle BDF} = \dfrac{1}{3} S_{\triangle BDE} = \dfrac{1}{3} \times 12 = 4$ 平方厘米，

$S_{\triangle DEF} = \dfrac{2}{3} S_{\triangle BDE} = \dfrac{2}{3} \times 12 = 8$ 平方厘米.

2．解：

∵ 使 $S_{\triangle ABE} = \frac{1}{2}S_{梯形AECD}$ 就是使 $S_{\triangle ABE} = \frac{1}{3}S_{矩形ABCD}$

∴ BE 应是 BC 的 $\frac{2}{3}$，∴ $BE = 6$ 厘米．

3．解：$S_{\triangle ABC} = \frac{1}{2}S_{\square ABCD} = \frac{1}{2} \times 54 = 27$ 平方厘米，

$S_{\triangle ABE} = \frac{1}{3}S_{\triangle ABC} = \frac{1}{3} \times 27 = 9$ 平方厘米，

$S_{\triangle BCE} = \frac{2}{3}S_{\triangle ABC} = \frac{2}{3} \times 27 = 18$ 平方厘米，

$S_{\triangle BEF} = \frac{1}{3}S_{\triangle BCE} = \frac{1}{3} \times 18 = 6$ 平方厘米．

4．如右图所示，连结 AB'、

AC，∴ $S_{\triangle AA'B'} = S_{\triangle ABB'}$

即 $S_{\triangle A'BB'} = 2S_{\triangle ABC}$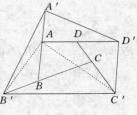

同理 $S_{\triangle D'DC'} = 2S_{\triangle ADC}$

∴ $S_{\triangle A'BB'} + S_{\triangle C'DD'} = 2S_{四边形ABCD}$

同理·$S_{\triangle AA'D'} + S_{\triangle B'CC'} = 2S_{四边形ABCD}$

∴ 四边形 $A'B'C'D'$ 的面积 $= 5 \times S_{四边形ABCD} = 5$．

5．解：连结 AG、CG，如右图所示，

∵ $AF = EC$，有 $S_{\triangle AGF} = S_{\triangle CGE}$，

又∵ $ED = BG$，有 $S_{\triangle AED} = S_{\triangle ABG}$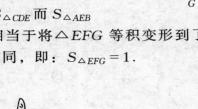

且 $S_{\triangle CDE} = S_{\triangle BCG}$，由此可见：

△EFG 的三个部分中 $S_{\triangle ABG}$ 补到了

$S_{\triangle EAD}$，$S_{\triangle AFG}$ 补到了 $S_{\triangle CEG}$ 之后，又

将其中的 $S_{\triangle BCG}$ 补到了 $S_{\triangle CDE}$ 而 $S_{\triangle AEB}$

的位置不变，由此一来相当于将△EFG 等积变形到了四

边形 $ABCD$，两者面积相同，即：$S_{\triangle EFG} = 1$．

第14讲 简单的统筹规化问题

最优化概念反映了人类实践活动中十分普遍的现象，即要在尽可能节省人力、物力和时间的前提下，努力争取获得在允许范围内的最佳效益．因此，最优化问题成为现代应用数学的一个重要研究对象，它在生产、科学研究以及日常生活中都有广泛的应用．作为数学爱好者，接触一些简单的实际问题，了解一些优化的思想是十分有益的．

【例1】 妈妈让小明给客人烧水沏茶．洗开水壶要用1分钟，烧开水要用15分钟．洗茶壶要用1分钟，洗茶杯要用1分钟，拿茶叶要用2分钟．小明估算了一下，完成这些工作要20分钟．为了使客人早点喝上茶，按你认为最合理的安排，多少分钟就能沏茶了？

分析 本题取自华罗庚教授1965年发表的《统筹方法平话》．烧水沏茶的情况是：开水要烧，开水壶要洗，茶壶茶杯要洗，茶叶要取．怎样安排工作程序最省时间呢？

办法甲：洗好开水壶，灌上凉水，放在火上，在等待水开的时候，洗茶杯，拿茶叶，等水开了，沏茶喝．

办法乙：先做好一切准备工作，洗开水壶，洗壶杯，拿茶叶，灌水烧水，坐等水开了沏茶喝．

办法丙：洗开水壶，灌上凉水，放在火上坐待水开，开了之后急急忙忙找茶叶，洗壶杯，沏茶喝．

谁都能一眼看出第一种办法好，因为后两种办法都"窝了工".

开水壶不洗，不能烧开水，因为洗开水壶是烧开水的先决条件，没开水、没茶叶、不洗壶杯，我们不能沏茶，因而这些又是沏茶的先决条件. 它们的相互关系可以用下图的箭头图来显示.

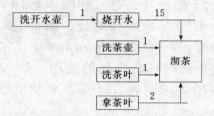

箭杆上的数字表示完成这一工作所需的时间，例如 $\longrightarrow_{15}$ 表示从把水放在炉上到水开的时间是 15 分钟. 从图上可以一眼看出，办法甲总共要 16 分钟，而办法乙、丙需 20 分钟.

洗壶杯、拿茶叶没有什么先后关系，而且是由同一个人来做，因此可以将上图合并成下图.

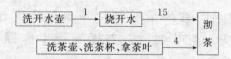

解 先洗开水壶用 1 分钟，接着烧开水用 15 分钟，在等待水开的过程中，同时洗壶杯、拿茶叶，水开了就沏茶，总共用了 16 分钟. 又因为烧开水的 15 分钟不能减少，烧水前必须用 1 分钟洗开水壶，所以用 16 分钟是最少的.

说明：本题涉及到的统筹方法，是生产、建设、工程和企业管理中合理安排工作的一种科学方法，它对于进行合理调度、加快工作进展，提高工作效率，保证工作质量是十分有效的.

【例 2】 用一只平底锅煎饼，每次能同时放两个饼. 如果煎 1 个饼需要 2 分钟（假定正、反面各需 1 分钟），问煎 1993 个饼至少需要几分钟？

分析 由于 1993 数目较大，直接入手不容易. 我们不妨先从较小的数目来进行探索规律.

如果只煎 1 个饼，显然需要 2 分钟；

如果煎 2 个饼，仍然需要 2 分钟；

如果煎 3 个饼，初学者看来认为至少需要 4 分钟：因为先煎 2 个饼要 2 分钟；再单独煎第 3 个饼，又需要 2 分，所以一共需要 4 分钟. 但是，这不是最佳方案. 最优方法应该是：

首先煎第 1 号、第 2 号饼的正面用 1 分钟；

其次煎第 1 号饼的反面及第 3 号饼的正面又用 1 分钟；

最后煎第 2 号、第 3 号饼的反面再用 1 分钟；这样总共只用 3 分钟就煎好了 3 个饼.

解：如果煎 1993 个饼，最优方案应该是：

煎第 1、2、3 号饼用"分析"中的方法只需要 3 分钟；煎后面 1990 个饼时，每两个饼需要 2 分钟，分 $1990 \div 2 = 995$（次）煎完，共需要 $2 \times 995 = 1990$（分钟）；这样总共需要 $3 + 1990 = 1993$（分钟）.

说明：通过本例可以看出，掌握优化的思想，合理统筹安排操作程序，就能够节省时间，提高效率.

【例 3】 5 个人各拿一个水桶在自来水龙头前等候

打水，他们打水所需的时间分别是 1 分钟、2 分钟、3 分钟、4 分钟和 5 分钟．如果只有一个水龙头，试问怎样适当安排他们的打水顺序，才能使每个人排队和打水时间的总和最小？并求出最小值．

分析 5 个人排队一共有 $5 \times 4 \times 3 \times 2 \times 1 = 120$ 种顺序，把所有情形的时间总和都计算出来，就太繁琐了．凭直觉，应该把打水时间少的人排在前面所费的总时间会省些．考虑用"逐步调整"法来严格求解．

解：首先证明要使所费总时间最省，应该把打水时间需 1 分钟的人排在第一位置．

假如第一位置的人打水时间要 a 分钟（其中 $2 \leqslant a \leqslant 5$），而打水需 1 分钟的人排在第 b 位（其中 $2 \leqslant b \leqslant 5$）．我们将这两个人位置交换，其他三人位置不变动．这样调整以后第 b 位后面的人每人排队打水所费的时间与调整前相同，并且前 b 个人每人打水所费时间也未受影响，但是第二位至第 b 位的人排队等候的时间都减少了 $(a-1)$ 分钟，这说明调整后五个人排队和打水时间的总和减少了．换言之，把打水需 1 分钟的人排在第一位置所费总时间最省．

其次，根据同样道理，再将打水需 2 分钟的人调整到第二位置；将打水需 3、4、5 分钟的人逐次调整到第三、四、五位．所以将五人按照打水所需时间由少到多的顺序排队，所费时间最省．这样得出 5 人排队和打水时间总和的最小值是

$$1 \times 5 + 2 \times 4 + 3 \times 3 + 4 \times 2 + 5 \times 1 = 35（分钟）.$$

说明：本题涉及到排序不等式，有兴趣的读者可参阅高年级的数学奥林匹克教材．排队提水的问题，在其

他一些场合也是会遇到的. 例如, 有一台机床要加工 n 个工件, 每个工件需要的加工时间不一样, 问应该按照什么次序加工, 才能使总的等待时间最短.

【例 4】　有 157 吨货物要从甲地运往乙地, 大卡车的载重量是 5 吨, 小卡车的载重量是 2 吨, 大卡车与小卡车每车次的耗油量分别是 10 公升与 5 公升. 问如何选派车辆才能使运输耗油量最少? 这时共需用油多少公升?

解: 依题意, 大卡车每吨耗油量为 $10 \div 5 = 2$（公升）; 小卡车每吨耗油量为 $5 \div 2 = 2.5$（公升）. 为了节省汽油应尽量选派大卡车运货, 又由于

$$157 = 5 \times 31 + 2,$$

因此, 最优调运方案是: 选派 31 车次大卡车及 1 车次小卡车即可将货物全部运完, 且这时耗油量最少, 只需用油

$$10 \times 31 + 5 \times 1 = 315 \text{（公升）}.$$

说明: 本题是 1960 年上海市数学竞赛试题. 上述解法是最朴素的优化思想——选派每吨耗油量较少的卡车. 下面用代数的知识来解题:

设选派大卡车 a 车次, 小卡车 b 车次, 依题意:

$5a + 2b = 157$, 即 $10a = 314 - 4b$.

于是总耗油量为:

$$W = 10a + 5b = 314 - 4b + 5b = 314 + b.$$

显然, 当 b 越小时, W 也越小.

又由 $5a + 2b = 157$ 易知, b 最小值是 1, 故 W 的最小值是 $314 + 1 = 315$（公升）. 若取 $b = 0$, 则需派 32 车次大卡车, 耗油量则需 320 公升.

【例 5】　有十个村, 坐落在从县城出发的一条公路上（如下页图, 距离单位是公里）, 要安装水管, 从县城

送自来水供给各村，可以用粗细两种水管．粗管足够供应所有各村用水，细管只能供一个村用水．粗管每公里要用 8000 元，细管每公里要用 2000 元．把粗管和细管适当搭配、互相连接，可以降低工程的总费用．按你认为最节约的办法，费用应是多少？

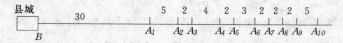

分析 由题意可知，粗管每公里的费用恰好是细管每公里费用的 4 倍．因此，如果在同一段路上要安装 4 根以上的细管，就应该用一根粗管来代替，便可降低工程的总费用．

解：假设从县城到每个村子都各接一根细管（如上图），那么在 BA_1、BA_2、BA_3、BA_4、BA_5、BA_6 之间各有 10、9、8、7、6、5 根细管，应该把 B 与 A_6 之间都换装粗管，工程的总费用将最低，这时的总费用是：

$$a = 8000 \times (30 + 5 + 2 + 4 + 2 + 3) + 2000 \times (2 \times 4 + 2 \times 3 + 2 \times 2 + 5)$$
$$= 414000 \text{（元）}.$$

说明：容易验证，从县城 B 起铺设粗管到 A_6 或 A_7 或者 $A_6 A_7$ 之间任何一个地点都是最节约的办法，总费用仍是 414000 元．下面详细论证其他安装方案的总费用都大于 a．

当粗管从县城 B 铺设到超过 A_7 向 A_8 移动一段路程 d（$0 < d \leqslant 2$）公里时，粗管费用增加 $8000d$（元），而细管费用仅减少

$$2000d \times 3 = 6000d \text{（元）}.$$

这时总费用比 a 多 $2000d$（元）.

当粗管从县城 B 铺设到超过 A_8 向 A_9 移动一段路程 d（$0 < d \leqslant 2$）公里时，粗管费用增加

$$8000 \times (2 + d) = 16000 + 8000d \text{（元）},$$

而细管增费用仅减少

$$2000 \times (2 \times 3 + 2d) = 12000 + 4000d \text{（元）}.$$

这时总费用比 a 多 $4000 + 4000d$（元）.

当粗管从县城 B 铺设到超过 A_9 向 A_{10} 移动一段路程 d（$0 < d \leqslant 5$）公里时，粗管费用增加

$$8000 \times (2 + 2 + d) = 32000 + 8000d \text{（元）}.$$

而细管费用仅减少

$$2000 \times (2 \times 3 + 2 \times 2 + d) = 20000 + 2000d \text{（元）}.$$

这时总费用比 a 多 $12000 + 6000d$（元）.

综上所述，从县城 B 铺设粗管到超过 A_7 点以东的任何地点的安装总费用都大于 a.

类似地，可以验证从县城铺设粗管到 A_6 点以西的任何地点的总费用也都大于 a.

【例6】　有1993名少先队员分散在一条公路上值勤宣传交通法规，问完成任务后应该在公路的什么地点集合，可以使他们从各自的宣传岗位沿公路走到集合地点的路程总和最小？

分析　由于1993数目较大，不易解决. 我们先从人数较小的情况入手.

$$\underset{\text{\small }A_1\qquad A_2}{\vert\qquad\vert}$$

当只有2个人时，设2人宣传岗位分别为 A_1 和 A_2（如上图），显然集合地点选在 A_1 点或 A_2 点或者 A_1A_2 之间的任何一个地点都可以. 因为由 A_1、A_2 出发的人走过的路程总和都等于 A_1A_2.

当有 3 个人时，则集合地
点应该选在 A_2 点（如右图）.

因为若集合地点选在 A_1A_2 之
间的 B 点，那时 3 个人所走的路程总和是

$$A_1B + A_2B + A_3B = (A_1B + A_3B) + A_2B = A_1A_3 + A_2B;$$

若集合地点选在 A_2A_3 之间的 C 点，那时 3 个人所走的
路程总和是：

$$A_1C + A_2C + A_3C = (A_1C + A_3C) + A_2C = A_1A_3 + A_2C;$$

而集合地点选在 A_2 点时，3 个人所走路程总和仅是
A_1A_3. 当然 A_1A_3 比 $A_1A_3 + A_2B$ 及 $A_1A_3 + A_2C$ 都小.

当有 4 个人时，由于集合地点无论选在 A_1A_4 之间的
任何位置，对 A_1、A_4 岗位上的人来说，这 2 人走的路程
和都是 A_1A_4（如下图）. 因此，集合地点的选取只影响
A_2、A_3 岗位上的人所走的路程，这就是说，问题转化为
"2 个人站在 A_2 和 A_3 岗位的情形". 根据上面已讨论的
结论可知，集合地点应选在 A_2 或 A_3 或者 A_2A_3 之间任
何地点.

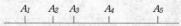

当有 5 个人时，类似地可把问题转化为"3 个人站在
A_2、A_3、A_4 岗位的情形"（如下图）根据已讨论的结论
可知，集合地点应选在 A_3 点.

当有 5 个人时，类似地可把问题转化为"3 个人站在
A_2、A_3、A_4 岗位的情形"（如下图）根据已讨论的结论
可知，集合地点应选在 A_3 点.

依此递推下去，我们就得到一个规律：

当有偶数（$2n$）个人时，集合地点应选在中间一段
A_nA_{n+1} 之间的任何地点（包括 A_n 和 A_{n+1} 点）；

当有奇数（$2n+1$）个人时，集合地点应选在正中间岗位 A_{n+1} 点.

本题有 $1993 = 2 \times 996 + 1$（奇数）个人，因此集合地点应选在从某一端数起第 997 个岗位处.

说明：本题的解题思路值得掌握，那就是先从简单的较少的人数入手，通过逐步递推，探索一般规律，从而解决某些数字较大的问题.

习 题 十 四

1．妈妈杀好鱼后，让小明帮助烧鱼．他洗鱼、切鱼、切姜片葱花、洗锅煎烧，各道工序共花了 17 分钟（如下图），请你设计一个顺序，使花费的时间最少．

2分钟	2分钟	1分钟	2分钟	2分钟	3分钟	5分钟
洗鱼 →	切鱼 →	切姜葱 →	洗锅 →	将锅烧热 →	将油烧热 →	煎烧

2．用一只平底锅煎饼，每次能同时放两个饼．如果煎一个饼需要 4 分钟（假定正、反面各需 2 分钟），问煎 m 个饼至少需要几分钟？

3．小明、小华、小强同时去卫生室找张大夫治病．小明打针要 5 分钟．小华换纱布要 3 分钟，小强点眼药水要 1 分钟．问张大夫如何安排治病次序，才能使他们耽误上课的时间总和最少？并求出这个时间．

4．赵师傅要加工某项工程急需的 5 个零件，如果加工零件 A、B、C、D、E 所需时间分别是 5 分钟、3 分钟、4 分钟、7 分钟、6 分钟．问应该按照什么次序加工，使工程各部件组装所耽误的时间总和最少？这个时间是多少？

5. 某水池可以用甲、乙两个水管注水，单放甲管需12小时注满，单放乙管需 24 小时注满．若要求 10 小时注满水池，并且甲、乙两管合放的时间尽可能地少，则甲、乙两管合放最少需要多少小时？

6. 山区有一个工厂．它的十个车间分散在一条环行的铁道上．四列货车在铁道上转圈，货车到了某一车间，就要有装卸工装上或卸下货物．当然，装卸工可以固定在车间等车（各车间所需装卸工人数如图所示）；也可以坐在货车到各车间去；也可以一部分装卸工固定在车间，另一部分坐车．问怎样安排才能使装卸工的总人数最少？最少需多少名工人？

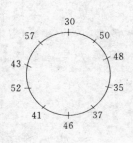

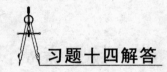

习题十四解答

1．12 分钟．

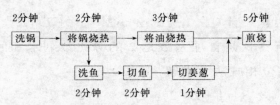

2．若 $m = 1$ 时，至少需要 4 分；

若 $m \geqslant 2$ 时，至少需要 $2m$ 分钟．

3．按小强、小华、小明的顺序安排，耽误上课的时间总和为：

$1 \times 3 + 3 \times 2 + 5 = 14$（分钟）．

4．按 B、C、A、E、D 的顺序加工，耽误时间总和最少为：

$3 \times 5 + 4 \times 4 + 5 \times 3 + 6 \times 2 + 7 = 65$（分钟）．

5．$\left(1 - \dfrac{1}{12} \times 10\right) \div \dfrac{1}{24} = 4$（小时）．

6．$46 \times 4 + 4 + 2 + 6 + 11 = 207$（人）．

第*15*讲 数学竞赛试题选讲

【例1】 计算：$1 + 2 + 2^2 + 2^3 + \cdots + 2^9 + 2^{10}$

分析 这是首项系数是 2 的等比数列求和问题，可采用"错位相减法"求解.

解：设 $S = 1 + 2 + 2^2 + 2^3 + \cdots + 2^9 + 2^{10}$ （1）

用 2 乘以上式的两边可得

$2S = 2 + 2^2 + 2^3 + \cdots + 2^{10} + 2^{11}$ （2）

用（2）式减去（1）式的两边，得

$$S = (2 + 2^2 + 2^3 + \cdots + 2^{10} + 2^{11}) - (1 + 2 + 2^2 + 2^3 + \cdots + 2^9 + 2^{10})$$

$$= 2^{11} - 1$$

$$= 2048 - 1$$

$$= 2047.$$

【例2】 计算：$1 \times 0.5 + 3 \times (0.5)^2 + 5 \times (0.5)^3 + 7 \times (0.5)^4 + \cdots + 17 \times (0.5)^9 + 19 \times (0.5)^{10}$

分析 这个和式中的每一项都是两个数的乘积，把各乘积的前一个数依次排在一起构成一个公差为 2 的等差数列，把各乘积的后一个数依次排在一起构成一个公比是 0.5 的等比数列，这种数列通常称为混合数列，它的求和方法也采用"错位相减法".

解：设 $S = 1 \times 0.5 + 3 \times (0.5)^2 + 5 \times (0.5)^3 + \cdots + 17 \times (0.5)^9 + 19 \times (0.5)^{10}$ （1）

用 2 乘以上式的两边可得

$$2S = 1 + 3 \times 0.5 + 5 \times (0.5)^2 + 7 \times (0.5)^3 + \cdots + 17$$
$$\times (0.5)^8 + 19 \times (0.5)^9. \tag{2}$$

用（2）式减去（1）式的两边，得

$$S = 1 + 2 \times 0.5 + 2 \times (0.5)^2 + 2 \times (0.5)^3 + \cdots$$
$$\qquad + 2 \times (0.5)^8 + 2 \times (0.5)^9 - 19 \times (0.5)^{10}$$
$$\quad = 1 + 1 + 0.5 + (0.5)^2 + \cdots + (0.5)^7 + (0.5)^8 - 19$$
$$\qquad \times (0.5)^{10}$$

再设　$A = 1 + 0.5 + (0.5)^2 + \cdots + (0.5)^7 + (0.5)^8 \tag{3}$

用 2 乘以（3）式的两边可得：

$$2A = 2 + 1 + 0.5 + \cdots + (0.5)^7 \tag{4}$$

用（4）式减去（3）式两边，得

$$A = 2 - (0.5)^8 = 2 - 0.00390625 = 1.99609375$$

于是，有：

$$S = 1 + 1.99609375 - 19 \times (0.5)^{10}$$
$$\quad = 2.99609375 - 19 \times 0.0009765625$$
$$\quad = 2.99609375 - 0.0185546875$$
$$\quad = 2.9775390625.$$

【例 3】　计算：$11 \times 12 \times 13 + 12 \times 13 \times 14 + 13 \times 14$
$\times 15 + \cdots + 100 \times 101 \times 102$

解：利用裂项法，有

$$11 \times 12 \times 13 = (11 \times 12 \times 13 \times 14 - 10 \times 11 \times 12 \times 13) \div 4,$$
$$12 \times 13 \times 14 = (12 \times 13 \times 14 \times 15 - 11 \times 12 \times 13 \times 14) \div 4,$$
$$13 \times 14 \times 15 = (13 \times 14 \times 15 \times 16 - 12 \times 13 \times 14 \times 15) \div 4,$$
$$\cdots$$
$$100 \times 101 \times 102$$
$$= (100 \times 101 \times 102 \times 103 - 99 \times 100 \times 101 \times 102) \div 4,$$

把这 90 个等式相加，得

$$原式 = （100×101×102×103 - 10×11×12×13）÷4$$
$$= 25×101×102×103 - 10×11×3×13$$
$$= 26527650 - 4290$$
$$= 26523360.$$

【例 4】 规定 $a*b = a^b$（其中 a、b 都是自然数），分别计算（$5*3$）$*2$ 和 $5*（3*2）$.

解：由 $5*3 = 5^3 = 125$

$$125*2 = 125^2 = 15625，$$

即有

$$（5*3）*2 = 15625$$

又由

$$3*2 = 3^2 = 9，$$
$$5*9 = 5^9 = 1953125$$

即有

$$5*（3*2） = 1953125.$$

说明：规定新的代数运算是一类以近世代数为基础的新题型，近年来多次出现于国内外的数学竞赛题中. 解这类问题的关键在于牢记新运算的定义，在计算时严格遵照规定的法则代入数值，遇到括号要优先运算.

值得注意的是，有些规定的新运算未必满足交换律或结合律. 譬如，本例实质上是乘方运算，由计算结果可知

$$（5*3）*2 \neq 5*（3*2）$$

这就是说，本例规定的运算不满足结合律. 又如，运算 $a△b = 3×a - b÷2$ 就不满足交换律，事实上

$$1△2 = 1×3 - 2÷2 = 3 - 1 = 2，$$

$$2 \triangle 1 = 2 \times 3 - 1 \div 2 = 6 - 0.5 = 5.5,$$

即

$$1 \triangle 2 \neq 2 \triangle 1.$$

再如，运算 $a \circ b = a \times b + a + b$ 就既满足交换律又满足结合律，事实上

$$b \circ a = b \times a + b + a = a \times b + a + b = a \circ b,$$

并且

$$(a \circ b) \circ c = (a \times b + a + b) \circ c$$

$$= (a \times b + a + b) \times c + (a \times b + a + b) + c$$

$$= a \times b \times c + a \times c + b \times c + a \times b + a + b + c,$$

$$a \circ (b \circ c) = a \circ (b \times c + b + c)$$

$$= a \times (b \times c + b + c) + a + (b \times c + b + c)$$

$$= a \times b \times c + a \times b + a \times c + a + b \times c + b + c,$$

从而有

$$(a \circ b) \circ c = a \circ (b \circ c)$$

不过，这个运算 "$\circ$" 对普通数的加法都不满足分配律，看反例

$$1 \circ (2 + 3) = 1 \circ 5 = 1 \times 5 + 1 + 5 = 11,$$

$$(1 \circ 2) + (1 \circ 3) = (1 \times 2 + 1 + 2) + (1 \times 3 + 1 + 3)$$

$$= 5 + 7 = 12,$$

因此

$$1 \circ (2 + 3) \neq (1 \circ 2) + (1 \circ 3).$$

【例 5】 互为反序[①] 的两个自然数之积是 92565，求这两个互为反序的自然数.

解：①这两个自然数必是三位数.

---

① 例如 1204 与 4021 是互为反序的自然数，而 120 与 21 不是互为反序的数.

首先，这两个自然数不能是小于 100 的数，因为小于 100 的两个最大的反序数是 99 和 99，而 $99 \times 99 < 92565$.

其次，这两个自然数也不能大于 998，因为大于 998 的两个最小的反序数是 999 与 999，而 $999 \times 999 > 92565$.

②设 $\overline{abc}$ 与 $\overline{cba}$ 为所求的两个自然数，

即

$$\overline{abc} \times \overline{cba} = 92565.$$

由于 $a \times c$ 的个位数字是 5，可以推得：

$a \times c = 1 \times 5$ 或 3×5 或 5×5 或 7×5 或 9×5；

而当 $a \times c \geqslant 3 \times 5$ 时有

$$\overline{abc} \times \overline{cba} \geqslant 305 \times 503$$

即

$$\overline{abc} \times \overline{cba} > 92565,$$

这是不合题意的. 因此，我们可以断定：

$a \times c = 1 \times 5$，

不妨设 $a = 1$，$c = 5$.

又由于 b 是 0，1，2，…，9 之一，经检验，只有 $b = 6$ 符合题意，这时有 $165 \times 561 = 92565$.

答：所求的两个互为反序的自然数是 165 和 561.

【例 6】 用 1、2、3、4 这四个数字组成没有重复数字的四位数 $\overline{abcd}$，如果 $a \neq 4$，$b \neq 3$，$c \neq 2$ 且 $d \neq 1$，那么满足上述条件的四位数一共有多少个？

分析 分类、枚举、筛选是解决这类组合计数问题的基本思路.

解：依题意，因为 $a \neq 4$，所以分三类讨论：

①首位数字 $a = 1$ 时，百位数字 b 可取 2 或 4，于是

可以画出如下"树形图"①:

再考虑十位数字 c 的限制条件，可以画出如下树形图:

最后考虑个位数字 d 的限制条件，可以画出如下树形图:

从而可知，$\overline{abcd} = 1234$ 或 1243 或 1432，共 3 种数值.

　　②首位数字 $a = 2$ 时，百位数字 b 可取 1 或 4，于是画出如下树形图:

再考虑十位数字 c 的限制条件，可以画出如下树形图:

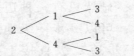

最后考虑个位数字 d 的限制条件，可以画出如下树形图:

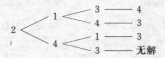

---

①　树形图是图论中常用的一种分类的直观表示方法.

从而可知，$\overline{abcd}=2134$ 或 2143 或 2413，共 3 种可能数值.

③首位数字 $a=3$ 时，类似①、②可以画出如下树形图：

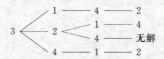

从而可知，$\overline{abcd}=3142$ 或 3214 或 3412，共 3 种不同数值.

综上所述，满足题设条件的四位数 $\overline{abcd}$，总计有 9 种可能数值.

说明：本例实质上是著名的"错装信封的问题".

【例 7】 一个楼梯共有 10 级台阶，规定每步可以迈一级台阶或二级台阶，最多可以迈三级台阶. 从地面上到最上面一级台阶，共有多少种不同的迈法？

分析 按照规定的上楼梯方式，依次考虑楼梯的阶数是 1 级、2 级、3 级、4 级、…的情况：（用记号 a_n 表示 n 级台阶的楼梯的迈法总数）

①当 $n=1$ 时，显然只有一种迈法，即 $a_1=1$；

②当 $n=2$ 时，可以一步一级地走二步上到最上面一级台阶，也可以一步迈二级直接上到最上面一级台阶，因此共有 2 种不同的迈法，即

$a_2=2$；

③当 $n=3$ 时，可以一步一级地走上楼，也可以一步三级上楼，还可以第一步迈一级、第二步迈二级或第一步迈二级、第二步迈一级上楼，因此共有 4 种不同的迈法，即

$a_3 = 4$；

④当 $n = 4$ 时，分三种情况来分别讨论迈法：

1° 若第一步迈一级台阶，则还剩下 3 级台阶，由③可知有 $a_3 = 4$（种）迈法；

2° 若第一步迈二级台阶，则还剩下 2 级台阶，由②可知有 $a_2 = 2$（种）迈法；

3° 若第一步迈三级台阶，则还剩下 1 级台阶，由①可知有 $a_1 = 1$（种）迈法；

综合上述，4 级台阶的楼梯总共有：

$$a_4 = a_3 + a_2 + a_1 = 4 + 2 + 1 = 7 \text{（种）}$$

不同的迈法；

④ $n = 5$，6，7，8，9，10 时，类似地有：

$$a_5 = a_4 + a_3 + a_2 = 7 + 4 + 2 = 13,$$
$$a_6 = a_5 + a_4 + a_3 = 13 + 7 + 4 = 24,$$
$$a_7 = a_6 + a_5 + a_4 = 24 + 13 + 7 = 44,$$
$$a_8 = a_7 + a_6 + a_5 = 44 + 24 + 13 = 81,$$
$$a_9 = a_8 + a_7 + a_6 = 81 + 44 + 24 = 149,$$
$$a_{10} = a_9 + a_8 + a_7 = 149 + 81 + 44 = 274.$$

答：按照规定的上楼方式，一个有 10 级台阶的楼梯共有 274 种不同的迈法．

说明：本例通过研究楼梯的级数是相邻自然数时相应迈法之间的关系，从而由 1 级、2 级、3 级台阶的迈法总数，逐步推导出 4 级、5 级、…、直至 10 级台阶的楼梯的迈法总数．这种解决问题的思想方法，通常称为归纳递推方法．

【例 8】　摩托车赛全程共 281 公里，全程被划分若干阶段，每一阶段中有的是由一段上坡路（3 公里）、一段平路（4公里），一段下坡路（2公里）和一段平路（4公里）组成的；有的是由一段上坡路（3公里）、一段下坡路（2公里）和一段平路（4公里）组成的．已知摩托车跑完全程后，共跑了25段上坡路，问：全程中包含两种阶段各几段？

分析 用假设法解应用题．

解：因为两种路段都各包含一小段上坡路，故摩托车跑了25段上坡路，即可理解为共跑了两种路段数为25．第一种路段的长是

$$3＋4＋2＋4＝13（公里），$$

第二种路段的长是

$$3＋2＋4＝9（公里）$$

假设摩托车跑了25段都是第一种路程，那么跑了

$$13×25＝325（公里）．$$

这样比全程多跑了

$$325－281＝44（公里）．$$

又因为每一段第一种路段比第二种路段长

$$13－9＝4（公里），$$

所以，第二种路段恰有

$$44÷4＝11（段），$$

于是，第一种路段有

$$25－11＝14（段）．$$

说明：本例的实质是我国传统的鸡兔同笼问题，在此处以行程问题的面目出现．

人大附中远程教育网热烈祝贺本书再版
本书作者郑重向您推荐人大附中网校

　　"一花怒放诚可爱，万紫千红才是春"，人大附中远程教育网小学部秉承北京市仁华学校（原北京市华罗庚学校）教育精神，以仁华课堂教学为基础，以互联网与信息技术为传播手段，旨在为广大家庭提供终身开放的教育平台，从而为更多的孩子提供可选择的高质量的教育。

　　现代远程网络教育不是传统教育的网络版，而是由传统教育的优秀资源、现代教育技术的解决方案以及全新的教育理念和先进的管理体制以及完善配套的服务体系构成的。

　　人大附中远程教育网小学部立足于全面发展和突出特长，努力做到"发展个性，挖掘潜能"，强调学生的知识拓展和能力提高。其中教学内容以全国闻名的北京市仁华学校的思维训练丛书为蓝本，网上课程与北京市仁华学校的课程同步进行，与学校教学相辅相成。

　　人大附中远程教育网小学部网上教育全部由人大附中名师、特级教师、专家学者授课，解答疑难，命题考试。采用多媒体网络互动教学方式，学生可听到教师讲课的声音，看到老师课堂上的版书；通过视频课堂真实体验到生动活泼的课堂教学效果，感受名师的风采；学生还可以自主地选择想学习的课程，真正实现了自主学习过程。真实再现"原汁原味"仁华学校课堂，激发学生学习兴趣，培养学生自主学习能力，提高学生的学业水平。

　　人大附中远程教育网小学部提供的英语课程以北京市仁华学校的英语课程内容为基础，配合阅读欣赏，同时也增加了英语听力欣赏，在英语角还有外教讲故事，用地道的英语口语将学生引入到一个童话世界。

　　人大附中远程教育网小学部提供的语文课程以阅读欣赏为手段，通过对学生的作文评析，以及对名著名篇的欣赏提升学生的文学修养，同时更开拓性利用中国古代汉语、现代汉语、英语三方面的结合来引导学生对语言文学的兴趣，达到让学生"学会学习"的目的。

　　人大附中远程教育网小学部提供的网络测试评估系统，立足仁华学校的优秀教育教学资源，结合课堂教学内容，开展远程辅助教学，强化学生的个性化学习，提供灵活多样的学习方式，针对学生的"不足"，开展"查缺补漏"，让学生通过测试评估系统完善自己的知识结构，建构正确的学习方法，有效调动学生学习的主动性，从而提高学习效率和成绩。

　　据统计，人大附中远程教育网小学部的名师讲解、听力教室、英语角、测试评估、作品欣赏、作文指导、名师答疑、视频课堂等栏目是同学们认为对学习帮助最大的几个栏目。学生可以足不出户坐在家中学习北京市仁华学校所学的课程，领略北京市仁华学校课堂的精髓，巩固自己的知识，提高自己的潜能。

　　人大附中承担了国家"十五"重大科技攻关计划"网络教育关键技术及示范工程"项目课题，作为示范学校将面向全国提供与样板校园同步的远程网络教学和师资培训。在远程教育网络上，我们愿意成为莘莘学子的助手，广大家长的益友、名师交流的沙龙。

　　人大附中远程教育网的网址是：www.rdfz.com
联系电话：（010）62519611 /2